MA SŒUR EST UNE

VAMPIRE

L'ÉCHANGE

MA SŒUR EST UNE

VAMPIRE

1

L'ÉCHANGE

Sienna Mercer

Traduit de l'anglais par
Patricia Guekjian

Remerciement tout spécial à Josh Greenhut

Copyright © 2007 Working Partners Limited
Titre original anglais : My Sister the Vampire, Book One : Switched
Copyright © 2012 Éditions AdA Inc. pour la traduction française
Cette publication est publiée en accord avec HarperCollins Publishers

Éditeur : François Doucet
Traduction : Patricia Guekjian
Révision linguistique : Féminin pluriel
Correction d'épreuves : Nancy Coulombe, Katherine Lacombe
Montage de la couverture : Matthieu Fortin, Paulo Salgueiro
Illustration de la couverture : © Paige Pooler
Conception de la couverture : Joel Tippie
Mise en pages : Sylvie Valois
ISBN papier 978-2-89667-594-4
ISBN PDF numérique 978-2-89683-424-2
ISBN ePub : 978-2-89683-425-9
Première impression : 2012
Dépôt légal : 2012
Bibliothèque et Archives nationales du Québec
Bibliothèque Nationale du Canada

Éditions AdA Inc.
1385, boul. Lionel-Boulet
Varennes, Québec, Canada, J3X 1P7
Téléphone : 450-929-0296
Télécopieur : 450-929-0220
www.ada-inc.com
info@ada-inc.com

Diffusion
Canada : Éditions AdA Inc.
France : D.G. Diffusion
Z.I. des Bogues
31750 Escalquens — France
Téléphone : 05.61.00.09.99
Suisse : Transat — 23.42.77.40
Belgique : D.G. Diffusion — 05.61.00.09.99

Imprimé au Canada

$\int$ODEC

Participation de la SODEC.
Nous reconnaissons l'aide financière du gouvernement du Canada par l'entremise du Programme
d'aide au développement de l'industrie de l'édition (PADIÉ) pour nos activités d'édition.
Gouvernement du Québec — Programme de crédit d'impôt pour l'édition de livres — Gestion
SODEC.

À mon frère, Jared, avec amour et gratitude

CHAPITRE 1

«C'est parti», se dit Olivia Abbott tandis que la voiture de sa mère s'éloignait de la bordure.

Olivia resta sur le trottoir et lissa la jupe de sa nouvelle robe rose pour la ixième fois. Elle se sentait habituellement à son meilleur vêtue de rose, mais pour une raison qu'elle ignorait, ce matin, cela ne l'aidait en rien.

Olivia aurait aimé ne pas se sentir si nerveuse. Après tout, ce n'était pas comme si elle allait participer aux championnats nationaux de meneuses de claques ou quelque chose du genre. Ce n'était que sa première journée en huitième année dans une nouvelle école secondaire. Dans une ville qui lui était étrangère. Où elle ne connaissait personne.

Elle était dans tous ses états.

Si ce n'était du nouvel emploi de son père, elle entrerait dans son école habituelle en compagnie de Mimi, de Kara et du reste de son ancienne équipe, au lieu d'être la petite nouvelle sans amis qui débarque de nulle part cinq semaines après le début de l'année scolaire.

Mais, peu importe, Olivia était déterminée à tirer parti de la situation. Ce serait exactement comme la première fois qu'elle avait mangé des sushis. Au début, ce serait étrange, inhabituel et ça sentirait drôle. Mais au bout d'un moment, elle apprendrait à adorer. De toute façon, que pouvait-elle faire d'autre : pleurer jusqu'à son entrée dans une autre école ?

Olivia se redressa et frappa deux fois dans ses mains, tout comme le font les meneuses de claques. Puis, elle accrocha un beau sourire sur son visage et se dirigea bravement vers l'entrée principale.

Son ancienne école avait l'allure d'une sorte de boîte moderne, recouverte d'une combinaison d'un beige affreux et d'un brun tout aussi affreux, mais l'école secondaire Franklin Grove, elle, était totalement différente. On aurait dit qu'elle était là depuis plus de 1000 ans. Les colonnes à l'entrée étaient recouvertes de lierre et, tout juste derrière les énormes portes principales en chêne, se trouvait un vestibule si grand qu'on aurait facilement pu y faire une pyramide à 16 personnes. Les murs de l'ancienne école d'Olivia étaient couverts d'affiches motivationnelles qui ne faisaient aucun sens, telles que « VIVEZ CHAQUE JOUR COMME SI C'ÉTAIT AUJOURD'HUI ! » Ici, les murs étaient décorés de photos de l'établissement, en noir et blanc, remontant pratiquement à l'ère de glace. Elle passa devant une photographie sur la plaque de laquelle on pouvait lire CLASSE DE 1912. On y voyait un groupe d'étudiants à l'apparence plutôt sérieuse et vêtus de robes noires.

Au moins, le bruit des élIvys circulant à toute vitesse pour se rendre à leur premier cours lui était familier : le fracas des portes de casiers, le grincement des espadrilles sur le sol, les éclats de rire des étudiants. Olivia se fraya un chemin à travers la foule. Il semblait y avoir beaucoup plus de Gothiques ici qu'à son ancienne école. Ils étaient aussi noirs et blancs que les photos sur les murs : vêtements noirs, visages pâles, grosses bottes noires.

Olivia aperçut son reflet dans un présentoir vitré. Sa jolie robe flottait, comme un fantôme, devant des trophées ternis et une bannière sombre sur laquelle on pouvait lire ALLEZ, LES DIABLES DE FRANKLIN GROVE ! Elle essaya de garder le sourire, mais son cœur était lourd. Elle avait l'air d'un suçon perdu au beau milieu d'un cimetière. Et si elle n'arrivait pas à s'intégrer ici ?

— Hé oh, réveille-toi ! entendit-elle.

Surprise, Olivia se rendit compte qu'elle se trouvait en plein dans le chemin d'une Gothique. La fille portait un chignon hérissé tenu en place par une broche en bois — « Cool, pensa Olivia, une baguette ! » — et portait une robe noire ornée d'un ourlet asymétrique qui commençait juste au-dessus d'un genou et se terminait à la cheville opposée.

Olivia fit un pas vers la gauche pour libérer le chemin, mais la fille avait eu la même idée. Toutes deux firent alors un pas dans l'autre direction. Et puis encore dans la même direction. Olivia rit pour s'excuser, mais la jeune fille la regarda de manière étrange. Pas méchamment cependant ; elle affichait simplement un air curieux, à la façon d'un chat noir inquisiteur.

— Est-ce que… Es-tu nouvelle ici ? lui dit la fille en fronçant les sourcils.

— Comment tu l'as su ? lui demanda Olivia d'un ton rieur.

— Tu cherches probablement le bureau du directeur dans ce cas, n'est-ce pas ? répondit la fille avec un tout petit sourire, tandis qu'approchait une autre fille gothique, vêtue d'un t-shirt noir sur lequel était écrit *Saute, lapin, saute !* en lettres roses, et munie d'une caméra numérique pendant à son cou.

La première fille fit un signe de la tête à l'intention de son amie et indiqua la direction à emprunter à Olivia.

— Va jusqu'au bout et tourne le coin ; le bureau est à droite.

Olivia s'était dirigée complètement dans la mauvaise direction.

— Merci, lui dit-elle d'un ton gêné. J'aurais probablement erré dans les corridors à la recherche du bureau du directeur jusqu'à ce qu'on m'y envoie pour cause de flânerie !

À son grand soulagement, les deux amies lui sourirent. Puis, celle qui avait une baguette dans les cheveux regarda Olivia comme si elle essayait de se souvenir de quelque chose. Finalement, elle haussa les épaules.

— Bonne chance, alors, lui dit-elle avant de se détourner.

Le bureau était exactement à l'endroit qu'elle lui avait indiqué.

— Asseyez-vous là, lui dit la secrétaire aux cheveux gris. Le directeur Whitehead vous accueillera dans un instant.

Olivia se retourna et vit une chaise libre à côté de celle sur laquelle une fille aux longs cheveux blonds bouclés — qui semblaient d'ailleurs très doux — était assise. Elle lisait un épais livre de poche abîmé, portait des jeans et un t-shirt jaune et avait, à ses pieds, un sac en toile dont la courroie était ornée d'un macaron qui disait LES REJETONS DES EXTRATERRESTRES SONT AUSSI DES PERSONNES.

«Enfin, pensa Olivia, quelqu'un qui ne porte pas de noir!»

Elle s'approcha et tendit la main.

— Salut. Olivia Abbott.

La fille leva les yeux; elle semblait perplexe.

— Euh, non. En fait, je m'appelle Camilla. Camilla Edmunson.

Olivia rit.

— Non, je voulais dire que *je* m'appelle Olivia, expliqua-t-elle. Enchantée de te connaître, Camilla.

Camilla fit une grimace pour signifier qu'elle se trouvait idiote et serra la main d'Olivia.

— Désolée, j'étais *vraiment* concentrée sur mon livre.

Olivia s'assit.

— Il n'y a rien de mieux, pas vrai ? Quand on est tellement absorbé par notre lecture qu'on a l'impression d'être dans un autre monde ?

— Je sais ! lui répondit Camilla avec enthousiasme.

Elle lui montra la couverture de son livre : *Random Access*, de Coal Knightley, le deuxième livre de la trilogie des cyborgs.

— L'as-tu déjà lu ?

— Non. Est-ce que c'est bon ? lui demanda Olivia.

— Tu veux rire ! riposta Camilla. C'est la troisième fois que je le lis !

— Je vois ! Je suis tout à fait comme ça avec les Comte Vira, soupira Olivia. Tu sais, les vampires, les buveurs de sang, les collets à froufrous ; c'est mon plaisir coupable.

— Ne t'en fais pas, lui dit Camilla en souriant, je garderai ton secret. Tant que tu ne dis à personne que je connais le langage bêta des cyborgs.

Olivia rit.

— Marché conclu !

Le directeur apparut. Il ressemblait à tous les autres directeurs d'école : crâne dégarni, chandail à manches courtes et cravate laide.

— Olivia Abbott ? dit-il. Bienvenue à Franklin Grove.

★ 🦇 ★

Ivy Vega aurait bien pu mordre sa meilleure amie, Sophia Hewitt, pour l'avoir abandonnée de la sorte dans le cours de sciences humaines. Bon, d'accord, elles étaient presque en retard. Et alors ? Sophia n'était pas obligée de courir en direction de son pupitre à la seconde même de leur arrivée, la laissant ainsi pétrifiée dans le cadre de porte tandis que la deuxième cloche sonnait.

Ivy serra la bague en émeraude sombre qui pendait autour de son cou, espérant qu'elle chasserait sa peur, comme une amulette magique. Si seulement. Cela faisait déjà plus de trois semaines que mademoiselle Starling avait assigné des places en classe, et Ivy se sentait toujours sans défense, comme exposée aux rayons du soleil sans aucune protection. S'asseoir à côté de l'ensorcelant Brendan Daniels tous les matins était de la pure torture. Une torture très agréable, certes, mais tout de même.

Elle se força à mettre un pied devant l'autre et se mit à avancer, tout en décochant son regard le plus menaçant à Sophia — le regard de la mort. Cette dernière leva les yeux au ciel.

Ivy retira la longue baguette de bois de ses cheveux en s'asseyant, puis regarda Brendan à travers un rideau de cheveux sombres.

Il était d'une beauté glorieusement gothique, dans tous les sens du terme : sa peau était de la couleur pure du marbre blanc, ses pommettes saillantes créaient des vallées sombres sur son visage, ses cheveux étaient noirs et bouclés jusqu'aux épaules. Son cœur faisait des culbutes. Elle était certaine de se transformer en un tas de poussière si jamais il lui adressait une seule parole. Il faisait des cliquetis avec son porte-mine.

« Je vais échouer à ce cours, pensa Ivy. Comment puis-je me concentrer quand il est si près ? »

Une voix chantante interrompit ses pensées.

— Quand j'aurai gagné les épreuves de sélection de meneuses de claques et que je serai devenue la capitaine de l'équipe des Diables, c'est moi qui créerai les meilleures routines ! déclara Charlotte Brown.

« Assommez-moi quelqu'un », pensa Ivy.

Elle ne connaissait qu'une chose plus douloureuse qu'un amour sans retour : écouter Charlotte Brown papoter à propos d'elle-même.

— Je suis déjà tellement meilleure que ma grande sœur, gazouilla Charlotte, et elle est cocapitaine de la première équipe de deuxième cycle de l'école.

— Je serai peut-être *ta* cocapitaine ! s'exclama l'une de ses acolytes.

— Et peut-être que je n'aurai *pas* de cocapitaine, lui répliqua froidement Charlotte.

C'était déjà quelque chose de se faire assigner une place à côté de Brendan

Daniels et de vouloir mourir de gêne, mais c'en était une autre d'être obligée de s'asseoir derrière Charlotte Brown et de vouloir mourir d'ennui à force d'écouter son interminable jacassement stupide et mesquin. Charlotte et ses moutons n'avaient pas cessé de parler des épreuves de sélection pour l'équipe de meneuses de claques depuis la première journée d'école.

Ivy repoussa ses cheveux derrière ses oreilles et sortit son cahier. Elle s'éloigna légèrement de Brendan — si elle ne pouvait passer l'éternité à ses côtés, elle pourrait au moins utiliser son temps de façon productive — et ouvrit son cahier à la dernière page, afin d'y griffonner quelques idées pour le journal de l'école.

Les anciennes capitaines de l'équipe de meneuses de claques de Franklin Grove : où sont-elles aujourd'hui ? écrivit-elle.

« Voyons voir, pensa-t-elle. Il y avait Carli Spitt, qui était maintenant caissière au Supermarché FG. Et Melinda Willsocks, qui avait gagné le titre de *Mademoiselle Revoline* à l'exposition automobile de l'an dernier, mais qui vivait toujours chez ses parents et qui était incapable de se trouver un emploi stable. Et… »

Ivy se rendit compte que la salle était soudainement devenue silencieuse. Elle arrêta d'écrire.

— Bonjour, tout le monde, dit mademoiselle Starling, j'aimerais vous présenter un nouveau membre de la communauté de Franklin Grove.

C'était la fille à la robe rose. Ivy eut le même sentiment bizarre qu'elle avait eu en la voyant pour la première fois dans le corridor — comme un méLangel de déjà-vu et d'indigestion.

— Elle s'appelle Olivia Abbott, expliqua mademoiselle Starling. Elle arrive directement de la côte.

Ivy mit sa main sur son collier et fit tourner sa bague en regardant la nouvelle. Les longs cheveux bruns d'Olivia étaient ramassés en une queue de cheval. Sa robe était vraiment très rose ; ce n'était pas le genre de personne qui attirait habituellement l'attention d'Ivy. Alors pourquoi avait-elle le sentiment de l'avoir déjà vue quelque part ?

Olivia avait hérité d'un pupitre près de la première rangée, sans doute parce que, une fois de plus, mademoiselle Starling s'était résolue à ruiner la vie d'Ivy en ayant recours à l'ancienne malédiction de l'assignation des sièges ; peu importe la direction vers laquelle elle tendait son cou, Ivy était incapable d'apercevoir le visage de la nouvelle.

Tout en essayant de s'instruire sur le fonctionnement du pouvoir législatif du gouvernement et en tentant de rester belle et décontractée au cas où Brendan la regarderait, Ivy s'efforçait de se remémorer où elle aurait pu avoir aperçu Olivia Abbott.

Elle décida de noter toutes les possibilités dans son cahier : *Maternelle ? École primaire ? Camp de danse ? Camp de vacances ? Resto Bœuf et bonjour ? Bal costumé ? Centre commercial ?* Finalement, en désespoir de cause, elle écrivit : *Télé ???*

Ivy ne connaissait pas beaucoup de gens que Sophia n'aurait pas aussi reconnus. Elle déchira donc le coin de l'une de ses feuilles et envoya une note à son amie pendant que mademoiselle Starling écrivait au tableau.

Sophia lui répondit immédiatement : *Tu veux rire ? Elle est beaucoup trop rose pour qu'on puisse la connaître !* Elle avait dessiné deux de ses fameux lapins en dessous de sa réponse.

L'un d'eux disait :

« *J'adore* ta fourrure ! »

L'autre, qui avait un ruban sur la tête, répondait :

« Le rose est ma couleur naturelle ! »

Ivy essaya de camoufler son rire par une fausse toux, mais le bruit qui en résulta était véritablement affreux. Brendan pensait probablement qu'elle sonnait comme un chat qui s'étouffe avec une boule de poil.

Ivy vit Olivia lever la main pour poser une question.

— Devons-nous faire notre devoir à l'ordinateur ?

Même sa voix lui était familière.

Ivy était plus convaincue que jamais qu'il y avait quelque chose d'étrange à propos de la fille à la robe rose.

Lorsque la cloche sonna, Ivy attendit que Brendan parte avant de se lever. Elle se dirigeait vers son casier en compagnie de Sophia lorsque celle-ci lui donna un petit coup de coude et lui dit :

— Je crois que le nouveau lapin va se faire écrabouiller.

Olivia Abbott se trouvait à l'autre bout du corridor, près des toilettes, et était entourée de quatre garçons portant des t-shirts de heavy metal noirs.

« Oh non, pensa Ivy, les Bêtes. »

Avant même de s'en rendre compte, Ivy se dirigea à toute allure vers le groupe.

— Viande fraîche, dit l'un des garçons.

— Ouais, mon vieux, ricana l'une des autres Bêtes, avec du ketchup. Je me demande si elle aime les contes d'horreur.

Ils éclatèrent de rire.

Ivy vit Olivia sans sourire pour la toute première fois. Leurs regards se croisèrent au-dessus des épaules des garçons. Olivia semblait à moitié perplexe et à moitié effrayée.

Ivy serra les dents. Que la nuit lui en soit témoin, en aucun cas ne laisserait-elle cette fille se faire dévorer par les Gothiques les plus nuls de Franklin.

— Dégagez et ne revenez pas, les Bêtes ! grogna-t-elle en les repoussant et en se plaçant devant Olivia. Allez donc hanter un stationnement de dépanneur.

— C'est quoi ton problème, Vega ?

— C'est toi mon problème, espèce de rat. Maintenant, ferme-la, dit Ivy en leur décochant son regard de la mort. J'ai dit : dégagez !!!

Les Bêtes rirent nerveusement et s'éloignèrent, la queue entre les jambes.

— Je suis *tellement* contente que tu sois intervenue, lui dit Olivia. Je ne connais même pas ton nom et tu es déjà ma personne préférée ici!

Ivy se présenta.

— Et ne t'en fais pas pour les Bêtes, dit-elle, ils sont inoffensifs. Ils agissent en brutes, mais ils sont loin d'être aussi effrayants que leur odeur pourrait le laisser supposer.

— Tu sais vraiment comment t'y prendre avec eux, remarqua Olivia.

— Oui, il le faut, répondit Ivy. Je vais devoir les supporter *éternellement*.

Olivia rit.

— En tout cas, je te remercie pour la deuxième fois aujourd'hui, Ivy Vega. Je te suis vraiment reconnaissante.

L'étrange sensation refit surface et frappa Ivy avec une telle force qu'elle faillit en tomber. Soudainement, elle comprit pourquoi la nouvelle lui semblait si familière.

«Elle me ressemble beaucoup, pensa Ivy. Plus que beaucoup. En fait, elle m'est pratiquement identique!»

Ivy fut prise de nausées et ses genoux se mirent à trembler. Elle allait soit vomir, soit perdre connaissance au beau milieu du couloir. Brendan la verrait étalée de tout son long sur le plancher de linoléum, son visage plus blanc qu'un drap, ses jambes entortillées comme celles d'une poupée qui porte de longs bas noirs.

Olivia parlait toujours, mais le grondement dans la tête d'Ivy était si fort qu'elle n'entendait rien d'autre.

— À plus tard, lui dit Ivy d'une voix rauque.

Puis, aussi vite qu'une chauve-souris, elle s'envola vers la toilette des filles.

CHAPITRE 2

« Merveilleux, pensa Olivia, j'en ai trop fait. »

Pourquoi devait-elle toujours en faire trop lorsqu'elle rencontrait de nouvelles personnes ? Cette fille, Ivy, essayait simplement d'être gentille, et Olivia avait immédiatement commencé à lui casser les oreilles. La pauvre, on aurait dit qu'elle allait vomir.

Tout de même, Olivia ne pouvait s'empêcher de se demander pourquoi Ivy Vega avait pris la peine de venir l'aider. Après tout, Ivy était ultra-gothique. Qu'une personne comme elle soit gentille envers quelqu'un comme Olivia deux fois dans une même matinée était pour le moins étrange.

Peu importe. Son prochain cours était celui d'éducation physique, et elle devait absolument trouver le vestiaire pour se changer le plus rapidement possible. Le directeur lui avait dit que mademoiselle Barnett, sa professeure d'éducation physique, était aussi l'entraîneuse de l'équipe de meneuses de claques, et Olivia voulait faire une première impression spectaculaire.

— Vous ne portez pas de bas, Mademoiselle Abbott, lui dit mademoiselle Barnett moins de sept minutes plus tard.

Olivia avait à peine eu le temps de se présenter.

— Ceci est un cours d'éducation physique, Mademoiselle. Comment pouvez-vous faire du sport si vos pieds ne sont pas bien chaussés ?

Olivia s'assura de garder le sourire, ce qui n'était pas facile puisqu'elle s'efforçait, simultanément, de hocher la tête sérieusement.

— Je suis tout à fait d'accord, dit-elle en toute sincérité. Je fais des claques depuis l'âge de huit ans, et je comprends les dangers des ampoules douloureuses et des champignons indésirables aux pieds. Je promets de ne plus oublier mes bas, Madame.

Mademoiselle Barnett hocha la tête en signe de respect, bien qu'à contrecœur.

«Il n'y a pas une prof d'éducation physique au monde qui n'aime pas se faire appeler madame», se dit Olivia.

Après que mademoiselle Barnett lui ait donné tous les détails concernant les épreuves de sélection pour l'équipe de meneuses de claques qui se tiendraient dans trois semaines, elle la conduisit de l'autre côté du gymnase, où trois filles faisaient des sauts périlleux à tour de rôle. Elle fit signe à l'une d'elles, qui avait une queue de cheval blonde, et celle-ci s'approcha immédiatement en sautillant.

— Charlotte Brown, voici Olivia Abbott. Elle aimerait faire les épreuves de sélection pour l'équipe.

— Tu es la nouvelle! dit Charlotte. Bienvenue à Fraaaaaaaanklin — elle fit tourner ses mains comme un moteur et leva les bras au ciel — GROVE!

Olivia sourit.

— Enchantée.

— Viens, lui dit Charlotte. J'allais justement montrer une routine incroyablement géniale à Katie et à Allison!

Olivia se sentit détendue pour la première fois de la matinée. Elle avait trouvé les meneuses de claques. Contrairement aux autres étudiants du cours, les trois filles portaient des shorts roses identiques et des t-shirts moulants gris à l'effigie des Diables de Franklin. Olivia était certaine que, d'ici peu, elle recevrait des invitations à des soirées pyjama et qu'elle discuterait de garçons dans le vestiaire avec ses nouvelles amies.

Olivia regarda Charlotte exécuter sa routine. Cette fille s'y connaissait drôlement bien. Elle dégageait une bonne énergie, faisait des gestes précis, exécutait de belles acrobaties. Il était fort possible que Charlotte Brown devienne sa nouvelle meilleure amie.

— C'était excellent, Charlotte! lui dit Olivia.

«Sauf, pensa-t-elle, que diable ne rime pas vraiment avec bulle, mais bon.»

— On avait un cri qui ressemblait beaucoup à ça à mon ancienne école.

— Je l'ai écrit moi-même, lui répondit Charlotte avec un grand sourire.

Quelques aspects de la routine étaient plus complexes, mais rien de trop difficile. Olivia fut capable de l'exécuter en peu de temps. Après quelques répétitions, elle remplaça même quelques paroles de Charlotte, criant :

— Tu sais que t'es un Diable quand tu fais lever le stade !

— Je m'excuse, Olivia, lui dit Charlotte en accourant de l'endroit où elle pratiquait ses claques avec Katie et Allison, mais je pense que tu t'es trompée de paroles. On devrait recommencer.

Ce n'était pas grave ; après tout, c'était le cri de Charlotte.

Olivia était simplement soulagée de sentir qu'elle s'intégrait enfin. Même qu'à la fin du cours, sur le chemin du vestiaire, mademoiselle Barnett lui sourit.

— Bon travail, Olivia, dit la professeure d'éducation physique.

Olivia aurait pu faire une culbute sur-le-champ !

— Mademoiselle Barnett dit ça à tout le monde, lui dit Charlotte en ouvrant la porte du vestiaire.

Olivia haussa les épaules.

— Eh bien, ce matin je n'étais personne, alors « tout le monde », c'est déjà une amélioration !

À l'heure du déjeuner, toutefois, ce n'était plus le cas. En balayant la cafétéria du regard, Olivia se sentit une fois de plus invisible. Elle ne savait pas du tout où s'asseoir. Si seulement elle était encore à son ancienne école, Kara et Mimi lui auraient fait un signe de la main pour lui indiquer l'emplacement de leur table, près de la fenêtre.

Finalement, Olivia aperçut Camilla assise toute seule dans un coin, dévorant à la fois son livre de science-fiction et son repas. Olivia se dirigea vers elle presqu'au pas de course; elle était vraiment contente de la voir.

Elle y était presque lorsque Charlotte Brown fit son apparition, vêtue d'un chandail rose. Katie et Allison se trouvaient derrière elle, leurs sourires brillant comme des panneaux blancs au-dessus de leurs plateaux.

— Viens t'asseoir avec nous! lui dit Charlotte.

Olivia jeta un regard à Camilla, qui était toujours absorbée par sa lecture. Pour une raison quelconque, son estomac se mit en boule.

— D'accord, dit-elle.

— Ici, c'est la table des filles populaires, lui dit Katie en s'asseyant.

— On s'assoit ici tous les jours, renchérit Allison.

— Super, dit Olivia en souriant.

Elle remarqua cependant qu'elles étaient les seules personnes à cette table.

— Les filles, fit Charlotte, commençons par le début. Je crois qu'il est de notre devoir d'expliquer les règlements à Olivia.

— Quels règlements ? demanda Olivia.

— Allons donc, dit Katie en levant les yeux au ciel, les règlements de Charlotte, bien sûr.

— *Non*, Katie, répondit Charlotte d'un air contrarié, les règlements de l'école secondaire Franklin Grove.

Elle se redressa et prit une grande respiration.

— Premier règlement, dit Charlotte.

Elle tendit le bras en direction du plateau d'Olivia et, avec deux doigts, prit délicatement un morceau de pain à l'ail. Elle avait l'air totalement dégoûtée ; on aurait dit qu'elle tenait un oiseau mort.

— Ne commande *jamais* de pain à l'ail. Ça tue…

« Les vampires ? » se demanda Olivia.

— ...ta vie sociale, continua Charlotte en laissant tomber le pain sur le plateau d'Olivia avec un bruit sourd. Deuxième règlement, poursuivit-elle en s'essuyant les mains avec sa serviette. Le rose est *cool*, mais le noir — elle lança un regard froid vers une autre table où Olivia vit Ivy assise avec des amis — est *tellement* démodé. Mais tu le savais déjà, n'est-ce pas ? ajouta Charlotte en lui adressant un clin d'œil.

— J'ai tellement hâte de t'emprunter cette robe, dit Katie en reluquant Olivia avec approbation.

— En tout cas, dit Charlotte, le deuxième règlement est : le rose, c'est parfait !

Olivia remua sur sa chaise, l'air mal à l'aise.

— Mais le troisième règlement, poursuivit Charlotte, est le plus important de tous.

Charlotte regarda Katie et Allison, qui inclinèrent toutes deux la tête solennellement. Puis, Charlotte frappa dans ses mains deux fois, et toutes trois reprirent à l'unisson :

— L'équipe passe avant tout, et les décisions reviennent au capitaine !

On aurait dit qu'elles avaient longuement répété, ce qui, tout bien réfléchi, était
probablement le cas.

— Cool, fit Olivia, histoire de ne pas
paraître méchante. Qui est le capitaine?

Katie et Allison dévisagèrent Olivia
comme si elle venait de se faire éclater un
bouton à la table.

— Ça va, dit Charlotte. Elle est nouvelle. C'est une question très valable,
Olivia. *Je* suis le capitaine.

Olivia se tut; elle était on ne peut plus
stupéfaite. Elle prit une bouchée de salade
de fruits pour camoufler sa réaction. Finalement, elle réussit à l'avaler.

— J'ai, euh, j'ai parlé à mademoiselle
Barnett dans le cours d'éducation physique, et elle a dit que le poste de capitaine
ne serait attribué qu'après les épreuves de
sélection.

— Je sais, dit Charlotte en hochant la
tête en signe de compassion. Elle est *obligée*
de dire ça, sinon elle perdrait son emploi.
Tu sais, pour être équitable. Mais tout le
monde sait que ce sera moi.

— C'est aussi pour ça qu'elle fait passer les épreuves de sélection aux membres de l'équipe chaque année. Comme ça,

les nouveaux ont *l'impression* d'avoir une chance, continua Katie.

— Comme toi ! renchérit Allison. — Mais je suis certaine que tu réussiras si tu te tiens avec nous, s'empressa-t-elle d'ajouter lorsqu'elle se rendit compte de ce qu'elle venait de dire.

Olivia s'efforça de sourire et hocha la tête.

« J'aurais dû m'asseoir avec Camilla », se dit-elle.

Puis, du coin de l'œil, Olivia vit qu'Ivy et ses amis passaient tout près d'elles, plateaux en main.

Charlotte se racla la gorge.

— Quel dommage, dit-elle très fort, qu'il y ait des gens incapables de se procurer des vêtements du siècle actuel ! On devrait faire une collecte de fonds.

« Oh mon Dieu. Je ne peux pas croire que Charlotte ait dit ça ! » pensa Olivia.

Elle fixa son plateau pendant qu'Ivy passait avec ses amis. Heureusement, ils ne répliquèrent pas.

Une fois les Gothiques passés, Olivia se redressa.

— Charlotte, qu'est-ce que ça voulait dire ça ?

— Pardon? rétorqua Charlotte d'un ton hautain.

— Cette fille, Ivy, m'a sauvé la peau ce matin. Et même si elle ne l'avait pas fait, je ne pense pas que tu aies le droit d'être aussi méchante envers elle.

— Eh bien, merci pour tes *commentaires* Olivia, répondit Charlotte d'un air fâché, mais il est clair que tu ne sais pas de quoi tu parles. Je te pardonne d'ignorer certains trucs puisque tu es nouvelle, mais laisse-moi te dire un petit quelque chose à propos de ces Gothiques : les morts-vivants n'ont *pas* de sentiments!

«Merveilleux, pensa Ivy tandis que la cloche sonnait pour annoncer le début du dernier cours de la journée. La nouvelle, qui me ressemble comme deux gouttes d'eau, mais qui est la meilleure amie de Charlotte Brown, est dans mon cours de sciences aussi…»

Ivy s'avachit sur une chaise au fond de la classe. Elle avait peine à croire qu'Olivia s'était fait prendre si facilement dans les filets de Charlotte. Elles avaient peut-être le même nez, mais la ressemblance finissait apparemment là.

« Ah non ! » pensa Ivy en voyant Olivia se diriger vers elle.

— Salut, lui dit Olivia d'une voix douce. Elle semblait mal à l'aise.

« Elle devrait l'être ! » se dit Ivy.

— Monsieur Strain m'a dit que tu étais ma partenaire de laboratoire, lui dit Olivia.

« Quoi ??? C'est trop incroyablement O négatif », ragea intérieurement Ivy.

Elle passait officiellement la journée la plus étrange et la plus nulle de toute sa vie. Elle se prépara à sortir une réplique assassine, mais l'expression sur le visage d'Olivia l'arrêta.

— Je suis totalement horrifiée par ce que Charlotte a dit au déjeuner, lui dit Olivia. Je veux dire, tu es la personne la plus gentille que j'ai rencontrée jusqu'à maintenant. Je sais que j'aurais dû dire quelque chose sur-le-champ, c'est juste que, je ne sais pas trop, j'étais tellement *choquée*. Regarde-toi, c'est fou comme tu as du style.

— P-Pardon ? bégaya Ivy.

— C'est la robe la plus *cool* que j'ai vue de toute la journée, continua Olivia, et je vais définitivement essayer ton truc de baguette dans les cheveux. Tu as *beaucoup* plus de style que Charlotte Brown.

Ivy était sans voix.

— En tout cas, je suis vraiment désolée, conclut-elle.

Peut-être qu'Olivia Abbott n'était pas un sous-fifre de meneuse de claques en fin de compte. Ivy déplaça ses livres pour faire une place à Olivia.

— Ça va, lui dit Ivy, je suis habituée aux mesquineries de Charlotte. J'imagine qu'elle ne t'a pas dit que nous sommes voisines ?

— Es-tu sérieuse ? lui demanda Olivia, incrédule.

— Plus sérieuse que ça, tu meurs. Et elle ne rate pas une occasion pour dire des choses méchantes.

Ivy leva les yeux au ciel.

— J'imagine que c'est un truc de meneuse de claques, continua-t-elle.

Olivia secoua la tête fermement.

— J'étais meneuse de claques dans mon ancienne école et je peux te dire que la plupart des filles ne sont pas comme ça, tout comme les Gothiques ne sont pas toutes des sorcières.

— Touché, dit Ivy en riant et en étant impressionnée.

Olivia ouvrit son cahier.

— Je veux dire, je comprendrais si tu lui avais *fait* quelque chose. Mais que Charlotte t'attaque comme ça, sans raison…

— En toute franchise, il y a eu la sixième année, l'interrompit Ivy.

Olivia écarquilla les yeux.

— Que s'est-il passé, en sixième ?

— J'ai essayé…

Monsieur Strain apparut devant elles.

— Ne pensez-vous pas qu'il serait temps de préparer votre matériel de laboratoire comme les autres ?

— Désolées, murmurèrent-elles à l'unisson.

Un peu gênée, Ivy tendit une paire de lunettes de sécurité à Olivia. Quelques instants plus tard, après que monsieur Strain se fut éloigné, elle continua son histoire en chuchotant.

— Je me suis présentée aux épreuves de sélection pour l'équipe de meneuses de claques.

— *TU* t'es présentée, s'exclama Olivia, mais Ivy lui fit signe de parler moins fort, aux épreuves de sélection de meneuses de claques ?

— Oui, lui répondit Ivy en souriant. Mon père voulait que je fasse une activité parascolaire. J'ai été sélectionnée. Mais devine qui ne l'a pas été ?

— Non, c'est pas vrai ! fit Olivia, stupéfaite.

— Eh oui ! lui répondit Ivy avec un grand sourire. Charlotte n'était que première remplaçante !

— Alors, tu fais des claques, toi ? lui demanda Olivia.

— Je ne sais peut-être pas sourire, mais je m'y connais en gymnastique, lui répondit Ivy.

— Bien sûr que tu sais sourire, lança Olivia.

— Oui, mais je n'*aime pas* sourire, dit Ivy. Et je n'aime pas non plus être excitée. La vérité, c'est que je n'aimais pas du tout l'aspect « boute-en-train » de meneuses de claques.

Olivia fronça le nez.

— Oui, c'est un aspect vraiment important, admit-elle.

— C'était pas vraiment mon style, expliqua Ivy. Même mon père le savait, alors, après la première semaine, j'ai quitté l'équipe et je me suis jointe au journal.

— Et que s'est-il passé? questionna Olivia.

— Charlotte a pu prendre la place que j'avais laissée. C'est la seule raison pour laquelle elle a été acceptée dans l'équipe. Elle ne l'a jamais accepté. Et le reste…

— Je crois que je peux imaginer, dit Olivia.

Elles se mirent à rire.

— Mesdemoiselles! interrompit monsieur Strain de l'autre bout de la classe. Veuillez vous concentrer sur l'expérience que nous faisons! Nous explorons la combustion des matières végétales, et non vos vies sociales!

Olivia fit une grimace et leva la main pour allumer le brûleur Bunsen. Elle portait une bague en émeraude sombre à son majeur.

L'étrange sensation qu'Ivy avait ressentie plus tôt en voyant Olivia revint la frapper comme une énorme vague. Instantanément, sa main se dirigea vers son cou et tâta pour trouver la bague accrochée à la chaîne qu'elle portait en dessous de sa robe. Elle la trouva près de sa gorge. Mais comment pouvait-il y en avoir deux? Cette bague était la seule chose qu'elle avait héritée de ses vrais parents. Elle était certaine qu'il s'agissait d'une pièce unique; comment Olivia pouvait-elle donc en avoir une aussi?

— Ivy? Olivia la fixait du regard. Est-ce que ça va?

Ivy s'efforça de sourire, non sans peine.

— Oui oui, bégaya-t-elle.

Ivy ne pensait pas arriver à se contenir jusqu'à la fin du cours, mais elle réussit. Lorsque la cloche sonna enfin, elle prit Olivia par le bras.

— Viens avec moi!

— Bien sûr, lui répondit Olivia. Où allons-nous?

Ivy regarda tout autour frénétiquement tandis qu'elles s'engageaient dans le couloir.

— Aux toilettes.

Ivy se dit qu'elle mourrait sur-le-champ si jamais il y avait quelqu'un d'autre dans la toilette des filles. Elle vérifia pour s'assurer que celle-ci était complètement vide.

— Est-ce que tu vas me dire un secret? lui demanda Olivia en la regardant avec curiosité.

Ivy s'approcha et retourna Olivia afin qu'elle se retrouve face au miroir.

Le regard d'Olivia rencontra celui d'Ivy dans le reflet et, tout d'un coup, le sourire d'Olivia s'effaça.

— Ivy, qu'est-ce qu'il y a?

Elle leva le poignet d'Olivia afin de rendre sa main visible dans le miroir.

— Où as-tu eu cette bague? lui demanda Ivy d'une voix tremblotante.

Pendant un instant, Olivia eut l'air abasourdie. Puis, elle prit une grande respiration.

— C'est la seule chose au monde, dit-elle lentement, que mes vrais parents m'ont donnée.

Doucement, Ivy passa sa main sous sa robe, tira sur sa chaîne, et mit sa bague à côté de celle d'Olivia.

Elles étaient identiques. Elles avaient les mêmes gravures ornées sur les mêmes anneaux lourds en platine, les mêmes émeraudes vertes à la coupe inusitée. On aurait même dit qu'elles brillaient plus ardemment maintenant qu'elles étaient côte à côte.

Les regards d'Ivy et d'Olivia se rencontrèrent une fois de plus dans le miroir.

Lorsqu'Ivy se remit à parler, sa voix n'était plus qu'un murmure.

— Quelle est ta date de naissance ?

La voix d'Olivia tremblait.

— C'est au mois de mai…, commença-t-elle.

— Le 13, termina Ivy.

Olivia couvrit sa bouche avec sa main.

— Tu me ressembles comme deux gouttes d'eau !

— Tu *me* ressembles comme deux gouttes d'eau, répliqua Ivy en fronçant les sourcils.

Olivia se retourna pour lui faire face.

— Qui étaient…, commencèrent-elles.

— Comment as-tu…, ni l'une ni l'autre ne finit.

Ivy inspira profondément.

— Quand est-ce que…, dirent-elles à l'unisson.

— D'accord, s'écria Ivy. Vas-y en premier.

— As-tu été adoptée ? lâcha Olivia. Moi oui.

— Moi aussi, répondit Ivy. Tu avais quel âge ?

— J'avais un an, répliqua Olivia. Et toi ?

— Moi aussi.

— Où es-tu née ? lui demanda Olivia.

— À Owl Creek, dans le Tennessee, lui répondit Ivy.

— Moi aussi ! répondit Olivia en secouant la tête. C'est trop fou !

— Y es-tu déjà allée ? lui demanda Ivy.

Les yeux d'Olivia s'illuminèrent.

— Une fois, il y a quelques années. Mes parents y sont passés en route vers Nashville. Il n'y a pas grand-chose là-bas, à part des arbres véritablement gigantesques.

— Tu n'as pas idée à quel point je suis jalouse, soupira Ivy.

Elle avait toujours voulu aller à Owl Creek.

— Et ta bague, lui demanda Olivia.

— Je l'ai reçu pour mon dixième anniversaire, lui répondit Ivy. Mon père m'a dit que c'est ce que mes vrais parents voulaient. C'était l'une des conditions de l'adoption.

— C'est exactement ce que mes parents m'ont dit ! poursuivit Olivia en se mordant la lèvre. Est-ce que… Sais-tu autre chose sur eux ?

Elle regarda Ivy, les yeux pleins d'espoir.

Ivy sentit son cœur se briser.

— Non. Mon père ne les a même jamais rencontrés, dit-elle. Et toi ?

— Moi non plus, soupira Olivia.

Toutes deux restèrent muettes un moment. Puis, Ivy fit un grand sourire.

— Eh bien, Olivia, j'ai toujours voulu une jumelle maléfique.

Olivia leva les yeux au ciel.

— C'est exactement ce que j'allais dire !

CHAPITRE 3

Olivia avait toujours voulu une sœur. Maintenant, elle ne savait pas ce qui était le plus difficile à croire : le fait qu'elle avait finalement une sœur, le fait qu'elle avait une sœur *jumelle*, ou le fait que sa nouvelle sœur jumelle était sa partenaire de laboratoire en sciences.

En examinant le visage d'Ivy de plus près, elle se sentit stupide de ne pas s'en être rendu compte tout de suite. Sous son maquillage noir et ses vêtements gothiques, Ivy lui ressemblait comme deux gouttes d'eau : nez anguleux, menton ovale, sourcils arqués. Et dire qu'Olivia avait eu peur de ne trouver personne comme elle à Franklin Grove !

— Il faut qu'on parle, lui dit Ivy.

Elle avait même le même sourire qu'Olivia.

— Tu veux aller au Bœuf et bonjour prendre une bouchée?

— Bien sûr, je meurs de faim! s'exclama Olivia. Il faut juste que j'appelle ma mère pour qu'elle ne s'inquiète pas.

— Prends mon cellulaire, lui dit Ivy en fouillant dans son sac.

Olivia téléphona à sa mère et lui dit qu'elle serait en retard parce qu'elle allait prendre une bouchée avec une fille vraiment *cool* qu'elle avait rencontrée à l'école.

— C'est fantastique! s'exclama sa mère. Je savais que tu n'aurais aucun problème à te faire de nouveaux amis, Olivia. Assure-toi d'être revenue pour 19 h, et amuse-toi bien!

— Tu n'appelles pas tes parents? demanda Olivia.

— J'ai toujours vécu seule avec mon père, lui expliqua Ivy, et il me laisse beaucoup de liberté.

Les deux filles sortirent leur sac de leur casier et traversèrent le corridor pour finalement atteindre la sortie. Le début de la saison de football était la période de l'année qu'Olivia préférait, et pas seulement à cause des claques. On s'y sentait encore en été, mais on bénéficiait aussi du parfum de l'automne. Tandis qu'elles marchaient, Olivia regardait Ivy qui cheminait à ses côtés. Le soleil étincelait sur sa robe noire.

— Tu ne trouves pas ça bizarre que mon père ait été transféré à Franklin Grove ? songea Olivia à voix haute.

— C'est à ça que je pensais justement, lui répondit Ivy en exécutant un saut de marelle au-dessus d'une fissure dans le trottoir, et je crois qu'il n'y a qu'une seule explication.

Elle s'arrêta et se retourna vers Olivia.

— Je crois qu'on devait se retrouver.

Le cœur d'Olivia fit un bond dans sa poitrine et ses yeux se remplirent de larmes. Elle fit un énorme câlin à Ivy. C'était plus fort qu'elle.

Ivy ne bougea pas.

« Ah non, se dit Olivia, j'en fais encore trop. Peut-être qu'Ivy ne voulait pas de sœur. Ou peut-être qu'elle ne voulait pas de moi comme sœur. »

Au même moment, Ivy lui rendit son câlin.

Puis, elles fondirent toutes deux en larmes, là, au beau milieu du trottoir. Si quelqu'un les avait vues ainsi, il se serait probablement demandé ce qui clochait. Mais rien ne clochait. Tout allait bien. Elles n'étaient que des jumelles de 13 ans qui se faisaient un câlin pour la toute première fois.

Au bout d'un moment, Olivia lâcha sa sœur et se mit à la recherche de mouchoirs dans son sac. Elle se moucha bruyamment.

— Je suis désolée si j'ai mis de la morve sur ton épaule, dit-elle.

Ivy sourit à travers ses larmes.

— Ne t'en fais pas, dit-elle en essuyant les marques de mascara sur ses joues. Je crois que j'ai ruiné ta robe.

Olivia regarda la tache noire sur sa manche rose vif. Elle ne put s'empêcher de rire.

— Vous les Gothiques, vous n'aimez vraiment pas le rose, hein !

Ivy gloussa et elles se remirent en route.

— J'espère que tu aimes Franklin Grove, dit-elle à Olivia. La population de lapins n'est pas trop mal ici.

Olivia rit.

— Oui, j'ai vu le t-shirt que ton amie portait. Ça veut dire quoi ? Est-ce que la ville est envahie de lapins sauvages ? J'ai déjà lu que, lorsqu'on a fait entrer les lapins en Australie, ils ont ruiné tout le pays.

— Très drôle, lui dit Ivy.

— Non, je suis sérieuse. Tout leur écosystème a été détruit. Les lapins ont mangé toutes leurs récoltes.

Ivy secoua la tête.

— Non, pas *ce genre* de lapin, le…

Ivy s'arrêta net.

Olivia lui jeta un coup d'œil. Elle avait un regard étrange.

— Qu'est-ce qu'il y a ? demanda Olivia.

— Hein ? répondit sa sœur, distraite. Rien. J'étais juste… je… pensais encore à quel point c'est étrange…

Elle parlait très lentement. Puis, tout d'un coup, elle sembla revenir à la réalité.

— … que nous soyons *sœurs*.

— Sans blague ! accorda Olivia. Pourquoi crois-tu que nous n'avons pas été adoptées ensemble ? Je croyais qu'ils essayaient de ne pas séparer les jumeaux.

Ivy se mit à jouer distraitement avec la bague autour de son cou.

— Je ne sais pas, fit-elle d'un air pensif. As-tu d'autres frères ou sœurs ?

— Non. Et toi ? lui demanda Olivia.

— Non. Peut-être que nos parents ne pouvaient adopter qu'un enfant chacun ? Ou peut-être que nos vrais parents voulaient que nous soyons séparées ? dit-elle en haussant les épaules. Nous ne savons rien d'eux.

Olivia hocha la tête et suivit Ivy en direction de l'enseigne fluorescente du restaurant Bœuf et bonjour qui se trouvait juste devant elles.

— Tout ce que je sais, c'est que quand je pense qu'on aurait pu être ensemble pendant les 13 dernières années, ça me donne envie de hurler, dit Olivia. J'aurais tellement eu besoin d'une sœur jumelle en deuxième année.

— Oui, répondit Ivy tandis qu'elles traversaient le stationnement. La deuxième année, c'était difficile.

Le restaurant était rempli d'autres étudiants de l'école secondaire Franklin Grove. Il était décoré comme un réfrigérateur à viande ; des crochets pendaient du plafond. Mais au lieu d'y voir des pièces de viande, des trucs *cool* y étaient accroché comme des pignatas et des boules disco. Olivia suivit Ivy jusqu'à une banquette vide, cachée dans une alcôve près de l'arrière du restaurant.

Une serveuse vêtue d'un tablier de boucher s'approcha.

— Comme d'habitude ? demanda-t-elle à Ivy.

— Absolument, répondit Ivy. Et toi Olivia ?

La serveuse la regarda impatiemment.

— Qu'est-ce que tu prends ? demanda Olivia à sa sœur.

Ivy mit son doigt sur le menu ouvert d'Olivia.

— Le *Croquez-moi* ; c'est un burger presque cru. Il dégouline littéralement, dit-elle d'un ton joyeux.

« Dégueulasse », pensa Olivia.

Elle retroussa le nez et se tourna vers la serveuse.

— Je vais prendre le *Régal du lapin*, s'il vous plaît.

« C'est quoi le problème avec les lapins dans cette ville ? » se demanda-t-elle.

— Voulez-vous de la salsa sur votre burger de tofu ? lui demanda la serveuse.

— Oui, s'il vous plaît, répondit Olivia. Oh, et mettez la vinaigrette à côté.

Elle espérait que le fait de voir le burger cru d'Ivy ne lui donnerait pas mal au cœur. Elles étaient peut-être jumelles, mais elles n'avaient certainement pas les mêmes goûts.

— Pour des vraies jumelles, dit Ivy, nous sommes vraiment différentes !

— Oh mon Dieu ! Je pensais justement à la même chose ! dit Olivia.

Elle inclina la tête.

— Ça doit être drôle pour toi de voir de quoi tu aurais l'air vêtue de couleurs pastel, hein !

Elles rirent si fort que les gens assis dans les banquettes tout autour se retournèrent pour voir ce qu'il y avait de si drôle.

« Cette fois-ci, se dit Olivia, je me suis définitivement assise à la bonne table ! »

Ivy avait encore des papillons dans l'estomac, et ce n'était pas parce qu'elle avait ri trop fort ni mangé son burger trop vite. C'était parce qu'elle avait une sœur jumelle.

En y réfléchissant bien, elle se rendit compte qu'elle l'avait toujours su. C'est pour cette raison qu'elle avait eu cette sensation la première fois qu'elle avait vu Olivia dans le corridor ce matin. Ce n'était pas simplement l'étrange sensation de voir quelqu'un qui lui ressemblait autant ; c'était plutôt l'intense plaisir de revoir quelqu'un que l'on a attendu toute sa vie.

Il y avait une seule chose qui clochait : comment ça se pouvait-il qu'Olivia ne sache pas ce qu'était un lapin ? Elles étaient de vraies jumelles après tout, n'est-ce pas ? Alors ne devaient-elles pas être identiques en tout ?

« Si elle ne le sait pas, pensa Ivy, je ne peux pas lui dire. »

— Bonjour, Olivia, fit une voix stridente, mais familière.

Ivy leva la tête.

« Youppi, se dit-elle avec sarcasme. Charlotte Brown. »

— Salut, Charlotte, répondit Olivia.

— Je suis assise juste là, avec Katie et Allison, annonça Charlotte.

Olivia sourit aimablement.

— Tu leur diras bonjour de ma part.

Charlotte tourna le dos à Ivy et se pencha, comme si elle s'apprêtait à dire un secret à Olivia.

— Olivia, je pense que tu devrais savoir, dit-elle assez fort pour qu'Ivy l'entende, que les meneuses de claques des Diables forment un groupe d'élite très lié, et que le fait de se tenir avec *certaines personnes* — elle fit des signes de guillemets en montrant ses ongles roses — ne t'aidera pas du tout à faire partie de ce groupe.

Ivy leva les yeux au ciel et prit une gorgée de limonade.

«Quelle idiote!» pensa-t-elle.

— À vrai dire, Charlotte, lui répondit Olivia d'un ton mielleux, je ne sais pas si tu le savais, mais Ivy est une fanatique des claques. En fait, nous parlions justement du fait qu'elle est très jolie vêtue de couleurs pastel.

Ivy rit si fort que sa limonade faillit lui ressortir par le nez.

— Mais voyons, se moqua Charlotte. Je ne crois pas qu'Ivy Vega puisse porter autre chose que des haillons noirs.

Elle se retourna vers Ivy en la regardant de haut.

— Désolée, dit-elle d'un ton léger, mais tu ne seras jamais plus qu'une gothique terne et nulle.

— Tu ne devrais pas juger les gens selon leur apparence, lui répondit Ivy d'un ton glacial.

— Tu crois? Alors pourquoi Jeff Moore, le gars le plus *cool*, le plus populaire et le plus mignon de l'école m'a-t-il demandé de m'asseoir avec lui demain midi ? demanda Charlotte.

— Parce qu'il a envie de vomir ? suggéra Ivy.

Charlotte fit une grimace et se retourna vers Olivia, qui réussit à camoufler son sourire juste à temps.

— Je suis venue ici, Olivia, dit-elle avec insistance, pour t'inviter à te joindre à nous demain midi. Katie et Allison y seront et je te suggère d'y être aussi, poursuivit-elle en lançant un regard méchant à Ivy. *Seule*.

Et, sur ces mots, Charlotte repartit à l'autre bout du restaurant d'un pas lourd.

Ivy était si fâchée qu'elle avait envie de crier.

— Si je le voulais, je pourrais être tout aussi victime de la mode que Charlotte Brown, dit-elle d'un ton furieux.

Olivia interpella la serveuse, et commanda un énorme morceau de gâteau au chocolat et deux fourchettes. Elle se pencha vers Ivy d'un air conspirateur.

— Mais bien sûr. Je crois que tu ferais une excellente victime de la mode, dit-elle pendant qu'un sourire illuminait son visage. Je suis bien placée pour le savoir.

— Pourquoi as-tu l'air d'un chat qui vient d'attraper une souris ? lui demanda Ivy d'un air suspicieux.

— Parce que j'ai une idée…, répondit-elle en regardant tout autour afin de s'assurer que personne n'écoutait. Puisque personne d'autre n'est au courant à propos de nous, je pense que, demain midi, tu devrais faire semblant d'être moi, conclut-elle avec un grand sourire.

— Quoi ? répondit Ivy.

— Penses-y Ivy. Ce serait tellement drôle que Charlotte passe tout un repas entourée de tous ses meilleurs amis — y compris sa nouvelle meilleure amie, c'est-à-dire moi, sauf que ce *moi* serait en fait *toi* !

« C'est une idée absolument géniale, pensa Ivy avec excitation, mais ça ne fonctionnera jamais. »

— Je ne vois pas comment on pourrait réussir, dit-elle en secouant la tête. Nous sommes jumelles, mais nous ne sommes pas…

— Identiques ? l'interrompit Olivia.

— Bon d'accord, nous sommes identiques, concéda Ivy. Mais nous avons un style très, très différent…

— Bah! rien qui ne pourrait s'arranger avec un bon autobronzant en bouteille! lui répliqua Olivia.

— Tu es sérieuse? dit Ivy, incrédule.

— Plus sérieuse que ça, tu meurs, répondit Olivia.

« C'est exactement ce que j'aurais dit », pensa Ivy.

— Ma jupe Kinski en denim serait *tellement jolie* sur toi! lui dit Olivia d'un ton excité.

Ivy tenta de réprimer un sourire, car elle jouait encore à l'avocat du diable.

— D'accord, mais on fait quoi pour le facteur « boute-en-train »? demanda-t-elle. Ce n'est pas comme si j'étais capable de sourire et de manger la gélatine de la cafétéria en même temps, comme toi! Ils me démasqueraient en quelques secondes seulement!

— Ne t'en fais pas, répondit Olivia en posant sa main sur celle d'Ivy. Je te donnerai des trucs. Et puis, y a-t-il une meilleure façon pour des jumelles d'apprendre à se connaître qu'en *devenant* l'autre?

La bague en émeraude d'Olivia étincela en direction d'Ivy.

« C'est décidé », pensa Ivy.

— Ça va être mortel ! dit-elle en se penchant vers sa sœur.

Le visage d'Olivia s'assombrit.

— Alors, tu ne veux pas le faire ?

— Non, dit Ivy en secouant la tête. « Mortel », c'est bon ! C'est même *très* bon !

— Ah, dit Olivia. Bizarre. Alors, tu vas le faire ?

— Je vais le faire, répondit Ivy en souriant.

— Dans ce cas, j'aimerais porter un toast, dit Olivia en levant son verre. À Ivy Vega, ma sœur jumelle.

Ivy leva son verre de limonade.

— À Olivia Abbott, *ma* sœur jumelle.

Elles trinquèrent, puis, exactement au même moment, les deux sœurs éclatèrent de rire.

— Tu es mortelle ! dirent-elles à l'unisson.

CHAPITRE 4

Le lendemain, Olivia se rendit aux toilettes du couloir des sciences — Ivy avait choisi celles-ci parce qu'elles étaient les moins fréquentées de l'école — et, très excitée, disposa ses fournitures sur le comptoir : autobronzant à vaporiser Santa Monica, fard à joues Journée d'automne, brillant à lèvres chatoyant, gel lustrant pour cheveux…

La porte s'entrouvrit et le visage pâle d'Ivy apparut. Elle se glissa à l'intérieur de la pièce et sortit un morceau de carton de son sac à main en cuir verni noir.

Olivia écarquilla les yeux quand elle vit la pancarte que sa sœur avait fabriquée, et sur laquelle on pouvait lire HORS SERVICE.

— Tu n'oserais pas ! lui dit Olivia.

Ivy lui adressa un sourire diabolique, comme pour dire : « Tu veux parier ? »

Elle ouvrit à peine la porte, contracta son visage en une moue de concentration, et étira doucement son bras pour accrocher la pancarte sur la poignée de porte. Elle ressemblait à un bandit s'efforçant de trouver la combinaison d'un coffre-fort, comme dans les films d'action.

— C'est bon ! dit Ivy en se retournant, les mains vides. Rends-moi rose.

— Pas rose. *Naturelle,* la corrigea Olivia en lui tendant une lingette nettoyante. Commence par te démaquiller les yeux.

En quelques secondes, la lingette blanche était devenue plus noire que le torchon que le père d'Olivia utilisait pour cirer ses chaussures.

— Oh mon Dieu ! Je savais que tu mettais beaucoup de crayon pour les yeux, mais c'est vraiment…

Ivy lui jeta un regard irrité.

— …impressionnant, termina Olivia en changeant rapidement de sujet. En tout cas, c'est incroyable à quel point ton teint naturel est blanc, dit-elle en secouant la bombe aérosol d'autobronzant.

Ivy agrippa le poignet d'Olivia.

— Tu ne mettras pas *ça* sur mon visage.

Olivia soupira et regarda sa sœur dans les yeux.

— Ivy, « naturel » signifie en santé. Ça veut dire être illuminé de vie, rayonnant de soleil. Ça veut dire que tu t'es levée ce matin sur une plage de la Californie et qu'un beau mec te faisait manger des raisins. Tu as *besoin* d'un autobronzant.

— Brendan Daniels n'aime pas les raisins, répliqua froidement Ivy. Et ça, j'en suis persuadée.

— Ne t'en fais pas, ça part à l'eau, dit Olivia pour rassurer sa sœur. Et qui est ce Brendan Daniels ?

Ivy se contenta de lever les yeux au ciel.

— Vas-y, alors, vaporise-moi, soupira-t-elle en fermant les yeux et en détendant son visage.

Une fois l'autobronzant vaporisé, Olivia appliqua le fard à joues et le brillant à lèvres sur le visage de sa sœur. Mais c'est le fard à paupières qui compléta réellement sa transformation. Ivy ressemblait désormais à une personne vivante. Olivia mit du gel dans les cheveux de celle-ci et lui fit une queue de cheval.

— C'est bon, dit-elle en souriant.

Elle fit un pas vers l'arrière et admira son travail.

— Maintenant, échangeons nos vêtements, poursuivit-elle.

Ivy et elles entrèrent chacune dans un cabinet. Olivia retira son chandail et sa jupe, les plia soigneusement et les glissa sous la cloison de métal bleue. À son tour, Ivy lui remit un tas de tissu noir tout froissé.

Quelques instants plus tard, Olivia ouvrit la porte de son cabinet et se regarda dans le miroir. Une longue jupe en dentelle noire, ce n'était *tellement* pas son style. Mais bon, elle aimait bien la façon dont elle remontait sur le côté. Même qu'elle s'imaginait bien l'essayer avec sa blouse en soie verte et une paire de sandales noires à talons hauts.

Soudainement, la porte du cabinet voisin s'ouvrit. Olivia observa sa sœur tandis qu'elle s'avançait pour examiner leurs reflets. Les yeux d'Ivy se déplacèrent de gauche à droite et, pendant un instant, Olivia se demanda si Ivy avait de la difficulté à se rappeler quel reflet était le sien. Puis, elle s'arrêta sur la fille vêtue de la jupe en denim et du cache-cœur rose.

— Plutôt incroyable, non ? demanda Olivia.

Ivy avait l'air complètement horrifiée.

— Je n'aurais jamais cru que je pouvais ressembler à…

« Oh non », se dit Olivia.

— Charlotte Brown ! lança Ivy avec un large sourire qui illumina son visage.

— La ferme ! cria Olivia. Je ne ressemble *pas* à Charlotte Brown !

Elle lança une éponge à maquillage en direction de la tête de sa sœur, mais Ivy se détourna juste à temps.

— Je ne sais pas, la taquina Ivy, ce haut est vraiment très rose.

— Mon sens du style est *nettement* meilleur que le sien, et tu le sais ! protesta Olivia.

— C'est bon, c'est bon. Ne fais pas une syncope, ricana Ivy en s'étirant les bras afin qu'Olivia puisse les recouvrir d'autobronzant à leur tour.

Puis, elle prit la bombe aérosol et vaporisa elle-même le produit sur le bas de ses jambes et sur ses pieds.

— Bon sang, comment fais-tu pour porter des jupes courtes comme ça tout le temps ? Je me sens aussi nue que la tête du directeur Whitehead.

— Peut-être, mais tu es super belle. À part pour tes bottes de combat ; elles ruinent l'ensemble.

Olivia tira la langue à sa sœur, et Ivy fit de même.

Elles échangèrent leurs chaussures.

— Une chance que je n'avais pas mis de vernis noir sur mes ongles d'orteils, dit Ivy en regardant les sandales roses et scintillantes d'Olivia.

Olivia finit de lacer les lourdes bottes noires et essaya de faire quelques pas.

— Oh mon Dieu, dit-elle en secouant la tête. C'est comme si je portais des blocs de ciment !

Ivy haussa les épaules.

— On ne sait jamais quand un réfrigérateur va nous tomber sur les pieds.

Olivia se promena le long des cabinets afin de s'habituer à marcher avec ces bottes.

— D'accord, dit-elle en se promenant. Maintenant, fais bouger tes cheveux comme une vraie meneuse de claques.

Ivy tourna brusquement la tête. Sa queue de cheval en fit le tour et vint la frapper en plein visage.

— Aïe!

— Pas comme ça, lui expliqua Olivia. Fais-le avec grâce. Mène avec ton menton. Fais comme si tu suivais, du coin de l'œil, une souris qui traverse la pièce. C'est mieux. Bien. Maintenant, laisse-moi voir ton sourire.

Ivy montra ses dents.

— On dirait que tu vas me dévorer, rigola Olivia. Détends-toi!

Ivy essaya encore. Et encore.

— C'est bon, lui dit Olivia d'un air satisfait. Quoi que tu fasses, n'arrête pas de sourire. Ma bonne humeur est l'une de mes plus grandes qualités.

Le visage d'Ivy s'illumina.

— C'est clair! s'exclama-t-elle en sautillant et en levant les pouces en l'air.

— N'en mets pas trop, lui dit Olivia. En fait, tu devrais probablement limiter ta conversation à des «Ah oui?». C'est l'expression la plus passe-partout qui soit.

Ivy écarquilla les yeux.

— Ah oui?

Olivia tenta de réprimer un sourire.

— J'ai bien l'impression que tu vas me donner l'air d'une vraie Einstein.

Ivy sourit de plus belle.

— Ah oui?

Olivia tenta de l'ignorer.

— Tu dois aussi te souvenir que je suis la nouvelle. Donc, tu ne peux pas parler de choses que je ne devrais pas savoir. Si tu ne sais pas quoi dire, tu n'as qu'à parler de la dernière… du dernier… peu importe.

Ivy prit une grande respiration.

— Ah oui?

— ASSEZ! cria Olivia.

Ivy reprit sa posture avachie habituelle.

— À mon tour! chantonna-t-elle.

Elle prit son sac à main noir luisant et le vida au-dessus du comptoir. Une avalanche de choses en sortirent : du maquillage, des stylos, de la gomme à mâcher, des bouts de papier, des limes à ongles, des photos, des trombones. Elle secoua le sac. Une grosse agrafeuse tomba avec fracas sur le comptoir. Elle le secoua à nouveau. Une petite bombe aérosol en sortit. Ivy l'attrapa et l'exposa dans la paume de sa main.

— Beauté pâle, le blanchisseur à vaporiser, dit-elle en caressant la bombe aérosol comme le font les mannequins dans les publicités. Pour avoir l'apparence extra spéciale d'être fait de marbre!

— Tu veux rire! dit Olivia.

Elle saisit le contenant et étudia l'étiquette.

— Beaucoup de Gothiques l'utilisent, expliqua Ivy, surtout ceux qui n'ont pas la chance d'avoir un teint blanc parfait comme le mien. Maintenant, ferme les yeux.

Olivia obéit. Le produit était frais et humide sur sa peau, mais il sécha presque instantanément. Elle se regarda dans le miroir.

— J'ai l'air d'un clown! dit-elle.

— Fais attention à ce que tu dis, sinon je vais te crever un œil, lui dit Ivy en se penchant vers elle, armée d'un crayon pour les yeux aussi gros qu'un marqueur Sharpie.

Olivia s'efforça de rester immobile. Elle fixa son regard sur une tache brune au plafond et demanda :

— Alors, de quoi je devrais parler à tes amies?

— Pardon? fit Ivy en s'arrêtant au beau milieu de la paupière supérieure gauche d'Olivia. Tu ne peux pas parler à mes amies. *Pas du tout.* Charlotte Brown, c'est une chose, mais Sophia Hewitt est ma meilleure amie depuis l'âge de quatre ans. Elle saurait *tout de suite* que tu n'es pas moi.

Olivia savait qu'Ivy avait raison, mais elle était tout de même déçue.

— J'avais tellement hâte d'être lugubre, dit-elle en faisant la moue.

— Désolée, lui répondit Ivy avec compassion. Et si tu te cachais dans la bibliothèque ? Je me tiens habituellement là pour travailler sur mes articles pour le journal.

— Ça ne sera pas aussi amusant que de parler avec des Gothiques, mais j'imagine que je vais devoir m'en contenter, concéda Olivia. Heureusement, j'ai une pomme et des croustilles santé pour me tenir compagnie.

— Rencontrons-nous ici après le déjeuner, dit Ivy en finissant de maquiller Olivia, et…

La cloche sonna.

— Oh mon Dieu ! fit Olivia d'une voix aiguë. C'est l'heure. Tu dois y aller !

Elle ramassa son maquillage, le balança dans son sac à main rose et le tendit à Ivy.

— Je remettrai tes choses dans ton sac quand tu seras partie, ajouta-t-elle.

Ivy posa ses mains sur les épaules d'Olivia et la regarda droit dans les yeux.

— Ne souris pas trop et ne parle pas, dit-elle à sa sœur qui se sentit soudainement poussée vers le sol. Et, quoi que tu fasses, *s'il te plaît*, ne sautille pas!

Olivia hocha solennellement la tête. Elle fit un câlin à sa sœur pour lui souhaiter bonne chance. Puis, Ivy fixa un sourire sur son visage et se détourna en tenant fermement le sac à main d'Olivia.

Celle-ci fit de son mieux pour ne pas sourire en la voyant partir. Après tout, elle était maintenant une Gothique!

Ivy poussa les portes de la cafétéria et y entra en crispant les orteils, histoire que les sandales d'Olivia tiennent en place.

Elle essaya de sautiller en marchant, mais se rendit compte qu'elle ne souriait pas. Elle commença à sourire, mais oublia de sautiller.

Ivy aperçut Charlotte Brown et ses acolytes déjà bien installées à leur table, et elle se plaça nerveusement dans la file pour aller chercher son repas.

Tandis que la ligne avançait lentement, Ivy décida d'essayer de balancer ses cheveux. Elle imagina une souris courant sur le plancher, comme Olivia le lui avait suggéré, et elle la suivit du coin de l'œil. Sa queue de cheval se balança en douceur. Puis, elle imagina la souris courant sous la chaise de Charlotte Brown. Ivy imagina ensuite Charlotte en train de sauter dans les airs en poussant des hurlements.

Voilà. C'était bien mieux. Soudainement, il lui était beaucoup plus facile de sourire et de sautiller.

— Un burger s'il vous plaît, dit Ivy d'un ton excité quand son tour arriva.

Son plateau bien rempli en main, Ivy se mit en route vers la Table diabolique. Charlotte la vit et agita son bras avec excitation, puis elle déposa sa main de façon insistante sur l'épaule du garçon assis à côté d'elle — nul autre que Jeff Moore, le superlapin costaud par excellence. Ivy pouvait voir Charlotte battre des cils, même à cette distance.

Ivy sautilla à travers la cafétéria. Elle était presque rendue à la Table diabolique lorsqu'elle se rendit compte, sous le choc, qu'elle passait à côté de sa table habituelle, où toutes ses amies étaient en train de manger. Elle faillit trébucher sur l'une de ses sandales et dut se pencher pour la remettre en place.

Sophia disait à Holly :

— C'est vraiment la nuit la plus importante de toute l'année.

« Mais qu'est-ce que je fais là ? » pensa Ivy nerveusement.

En se redressant, Charlotte capta son regard une fois de plus et, en remuant les lèvres silencieusement, forma les mots : « Mignon, hein ? » Elle était penchée vers Jeff comme si elle buvait la moindre de ses paroles.

« Ah oui, je me souviens, pensa Ivy en souriant à nouveau. Je me venge de Charlotte Brown. »

Elle déposa son plateau en face de Charlotte et de Jeff et lâcha un « Salut tout le monde ! » exubérant.

« Oups, pensa-t-elle, je n'étais pas censée en mettre trop. »

Heureusement, Katie et Allison n'avaient rien remarqué.

— Salut Olivia ! répondirent-elles.

— Mais qu'est-ce que tu fais ? fit Charlotte.

Le cœur d'Ivy faillit s'arrêter.

— Euh… je…, bégaya-t-elle, je… mange ?

Charlotte, ahurie, cligna des yeux.

— Depuis quand, demanda-t-elle les yeux écarquillés, les meneuses de claques qui se respectent mangent-elles des burgers pour le déjeuner?

Allison et Katie, inquiètes, hochèrent la tête.

— Oui, je sais, tu as totalement raison, dit Ivy lorsque son cœur se remit à battre. Et je ne sais vraiment pas ce qui m'a pris, mais j'avais vraiment envie d'un burger aujourd'hui.

— Moi, je trouve ça cool, dit Jeff Moore en faisant un grand sourire à Ivy sous ses cheveux en brosse. Même que ça fait du bien, une fille qui mange vraiment. Toutes les filles que je connais refusent de manger même la plus petite frite si elle n'est pas recouverte de sauce sans gras.

— J'adore les burgers! rétorqua rapidement Charlotte. C'est juste que je n'aime pas ceux de la cafétéria, ricana-t-elle timidement. En tout cas, laisse-moi te présenter. Olivia, voici Jeff. Tu te souviens? Je t'ai parlé de lui; Jeff est le cocapitaine de l'équipe de football des Diables.

— Ah oui? dit Ivy en écarquillant les yeux et en prenant une bouchée de son burger.

— En plus, il fait partie de l'équipe nationale de cross-country, ajouta Charlotte en savourant chacun de ses mots comme s'ils étaient faits de chocolat.

— Et de baseball aussi, ajouta Jeff.

— Tu devrais le voir dans son uniforme, lui lança Charlotte avec un clin d'œil.

— Ah oui? répondit Ivy avec un sourire complice.

Jeff mâcha une frite.

Ivy n'allait pas s'arrêter là.

— Alors, quoi de neuf dans le football des Diables?

— J'ai fait 72 touchés l'an passé, dit Jeff en avalant. C'était un nouveau record dans le comté. Cette année, je vais essayer d'en faire 80.

— Ah oui? répliqua automatiquement Ivy.

— Oui, dit-il en penchant la tête sur le côté. Hé, Charlotte m'a dit que tu allais faire les épreuves de sélection pour l'équipe de meneuses de claques.

Ivy hocha la tête avec coquetterie.

— Elle dit que tu es pas mal bonne, ajouta Jeff.

— Pour une nouvelle, précisa Charlotte.

— Tu as vraiment l'allure d'une bonne meneuse de claques en tout cas, dit Jeff en lui adressant un sourire qu'il croyait sûrement être séduisant.

« Je suis tombée bien bas, se dit Ivy. Jeff Moore, le support athlétique, m'aime bien ! »

Mais l'expression sur le visage de Charlotte Brown en valait largement la peine.

— Jeff ! dit Charlotte en agrippant son bras comme si elle allait se noyer. Oh mon Dieu, Jeff, nous avons oublié la lutte !

— C'est vrai, fit Jeff d'un air impressionné. Je fais aussi de la lutte.

Charlotte plissa les yeux. Puis, elle étira son bras, saisit la dernière bouchée du burger d'Ivy et, de façon dramatique, le mis dans sa bouche et le mâcha, tout en adressant un sourire idiot à Jeff.

Katie et Allison avaient l'air vraiment sous le choc.

« Ça se passe encore mieux que je ne l'aurais imaginé ! se dit Ivy en remuant les orteils de plaisir sous la table. Charlotte Brown ravale littéralement ses paroles ! »

Olivia s'amusait comme une folle en marchant d'un pas lourd dans le corridor des

76

sciences, en direction des toilettes, à la fin du déjeuner. Maintenant qu'elle s'était habituée aux bottes d'Ivy, elle se sentait investie d'une grande puissance à chaque pas qu'elle faisait, comme si elle avait pu marcher parmi une foule de gens et que tous se seraient enlevés de son chemin. La bouche figée, elle regardait les gens derrière un rideau de cheveux sombres.

— Salut, Ivy, murmura une Gothique qui passait par là.

— Salut, répondit Olivia sans s'arrêter.

Elle essaya de réprimer un tout petit sourire, mais elle en fut incapable.

«C'est trop cool d'être une Gothique!» pensa-t-elle.

Sa période à la bibliothèque s'était écoulée en un rien de temps. Au début, Olivia avait été contrariée d'avoir oublié d'apporter *La troisième morsure*, le dernier roman de la série Comte Vira, avec elle. Mais ensuite, elle s'était souvenue qu'elle avait lu quelque chose à propos d'une vieille nouvelle française qui, selon ce qu'en disait un site pour les adeptes de romans de vampires, était l'une des premières histoires du genre à avoir été écrite. Elle avait alors décidé de vérifier si elle se trouvait à la bibliothèque.

— *Le Horla et autres contes* de Guy de Maupassant. On dirait que ce n'est pas la première fois que tu sors ce livre, Ivy, lui avait dit la bibliothécaire en regardant l'écran de son ordinateur.

Olivia avait haussé les épaules comme elle pensait qu'Ivy l'aurait fait, puis après avoir trouvé le livre, avait entamé sa lecture.

L'histoire était si fascinante que la cloche avait annoncé la fin de la période avant même qu'elle ne s'en rende compte. Elle était maintenant pressée de retourner aux toilettes afin qu'Ivy lui raconte comment les choses s'étaient déroulées avec Charlotte Brown.

Olivia tourna le coin et fonça en plein dans un garçon gothique ! Elle échappa son livre, qui glissa sur le sol.

Elle observa le garçon tandis qu'il se penchait pour ramasser son livre. Il était mince, avait les épaules larges et portait des pantalons cargo noirs et une chemise de travail noire à col boutonné. Son visage pâle était encadré de boucles foncées et désordonnées. Il lui semblait familier ; il était sûrement dans l'un de ses cours.

— Est-ce que ça va ? lui demanda-t-il d'un air inquiet.

— Ça va, lui dit Olivia. Je suis désolée. Je pense que mes bottes allaient plus vite que le reste de mon corps.

Le garçon tendit le livre à Olivia, et elle se souvint enfin du cours qu'ils avaient ensemble.

— Je te connais, dit-elle en hochant la tête. Tu es dans mon cours de sciences humaines.

Le garçon la regarda étrangement. Il fronça les sourcils, ce qui lui donna un air adorable, enfin, si on aime le genre ténébreux.

— Ivy, dit-il lentement, ça fait trois ans que nous sommes dans le même cours de sciences humaines.

— Euh…, dit Olivia qui cherchait ses mots. Bien sûr, je blaguais! dit-elle en tentant de faire une grimace amicale.

Il jeta un coup d'œil à la couverture de son livre.

— Ça a l'air intéressant, dit-il en le lui remettant.

Elle savait qu'elle aurait dû se contenter de prendre le livre et de s'en aller, mais c'était vraiment une histoire qui méritait d'être lue par davantage de personnes.

— Ça l'est. *Le Horla*, c'est l'histoire d'un gars qui croit qu'un vampire le pourchasse. C'est vraiment, euh, mortel.

— Ah oui? dit le garçon, visiblement intrigué.

— Oui. C'est écrit comme un journal intime, et le gars se demande constamment s'il est en train de devenir fou, expliqua Olivia.

Il hocha la tête.

— Il va falloir que je le lise.

— Oui, tu devrais, répondit-elle.

Puis, elle vit Ivy un peu plus loin dans le corridor.

«Wow, elle est vraiment magnifique avec cette jupe!» se dit Olivia.

— Qu'est-ce que tu aimes lire d'autre? lui demanda le garçon qui continuait de la regarder.

Olivia vit, par-dessus son épaule, qu'Ivy s'était arrêtée et qu'elle la fixait, la bouche grande ouverte, avec une expression de panique totale.

«Oh non, pensa Olivia. Le repas avec Charlotte a dû mal tourner!»

Ivy frappa le sol avec sa sandale et fit des gestes frénétiques en indiquant à Olivia de la suivre dans les toilettes *tout de suite*!

— Je dois y aller, marmonna Olivia avant de partir à toute vitesse.

Alors qu'elle s'engouffrait dans les toilettes, elle entendit le garçon dire : « Hé, Ivy ! »

— Oh mon Dieu, que s'est-il passé ? s'écria Olivia en voyant dans le miroir l'expression de détresse sur le visage de sa sœur.

— Comment veux-tu que je sache ce qui s'est passé ? lui demanda Ivy avec un regard sauvage. C'est plutôt moi qui devrais te le demander. QUE S'EST-IL PASSÉ ?

Elle lava son visage, ses bras et ses jambes pour en retirer le produit autobronzant, défit sa queue de cheval et entra dans un cabinet pour se changer.

« Wow ! pensa Olivia, le déjeuner a dû être vraiment atroce. »

Elle entreprit de retirer tout le noir autour de ses yeux et le fond de teint blanc.

— Je suis vraiment désolée Ivy, dit Olivia en entrant dans le cabinet voisin et en délaçant ses bottes. Tu avais raison. C'était une mauvaise idée. C'était évident que Charlotte ne tomberait pas dans le panneau.

— Charlotte ?

La voix d'Ivy résonna contre les murs de la pièce.

— Charlotte s'est faire prendre comme une débutante. Je ne parle pas de Charlotte. Je parle de *Brendan Daniels* !

— Mais je pensais que tu mangeais avec Jeff Moore, dit Olivia à la paroi de métal.

— Je vais *t'étrangler*, répliqua Ivy, visiblement exaspérée.

Les vêtements d'Olivia traversèrent la cloison et apparurent au niveau de ses chevilles.

— Tu parles du gars dans le couloir ? demanda Olivia en tentant de recoller les morceaux dans son esprit tandis qu'elle redonnait ses vêtements à Ivy.

— Oui ! dit Ivy.

— Tu ne l'aimes pas ? devina Olivia.

— Non ! s'écria Ivy. Je suis *totalement* en amour avec lui !

— Ah.

Soudainement, tout devint très clair. Olivia se sentit vraiment stupide.

— Je comprends, poursuivit-elle d'un ton gêné.

— Et puis ? questionna Ivy. Qu'a-t-il dit ?

— Je lui ai foncé dedans par accident, expliqua Olivia, puis il m'a posé des questions sur mon livre. En passant, il faudra le retourner mardi prochain.

— Est-ce qu'il…, la voix d'Ivy était soudainement plus douce. Est-ce qu'il connaissait mon nom ?

Olivia entendit sa sœur sortir du cabinet voisin ; elle lissa sa jupe et fit de même.

— Tu veux dire que tu ne lui as jamais
parlé ? demanda-t-elle.

Ivy soupira longuement et ferma les
yeux.

— Non.

— Eh bien, dit Olivia d'un ton enjoué.
On dirait que ton étrange stratégie de drague
a fonctionné, parce que je suis presque certaine qu'il t'aime bien.

Les yeux d'Ivy s'ouvrirent à la vitesse
de l'éclair.

— Quoi ? Qu'est-ce qu'il a dit ?

— Rien. C'est juste que… il avait vraiment l'air de vouloir parler avec toi. Il était
pendu à mes lèvres. Il ne voulait pas que
je — *tu* — t'en ailles.

— À quel point ? demanda Ivy.

— N'en fais pas une obsession, répondit Olivia en redonnant à Ivy son sac à
main et en récupérant le sien. Si j'étais toi,
je me remercierais d'avoir brisé la glace.

— Je t'avais dit de ne parler à personne,
s'indigna Ivy.

— Ah, allez, dit Olivia en donnant un petit coup amical sur le bras de sa sœur. Veux-tu, s'il te plaît, me raconter ce qui s'est passé avec Charlotte ?

Ivy s'appuya sur le comptoir pour lacer ses bottes.

— Eh bien, dit-elle d'un ton neutre, on peut dire avec certitude que tu n'es pas la seule entremetteuse ici. En fait, ça s'est tellement bien passé que Jeff Moore t'a demandé d'aller au centre commercial avec lui après l'école.

Olivia resta bouche bée.

— Non !

— Oh oui, dit Ivy en se remaquillant les yeux et en se remettant un peu de protection solaire. Je lui ai dit que tu étais occupée, bien sûr. Il est trop stupide pour toi. Mais tu aurais dû voir l'expression sur le visage de Charlotte !

Elle fit une imitation parfaite : poitrine ressortie, bouche ouverte, yeux exorbités. Olivia rit.

— Mais, dit Ivy en laissant retomber ses cheveux devant son visage, je suis contente de redevenir moi-même. Parler de sport m'a donné l'impression que le repas ne finirait jamais.

— Méfie-toi, dit Olivia en sortant son contenant de lingettes démaquillantes. Peut-être que Brendan aime bien le sport.

— Pourquoi? lança Ivy. Qu'est-ce qu'il a dit à propos des sports?

CHAPITRE 5

— Bon, dit Ivy en se regardant une dernière fois dans le miroir. Jure-moi qu'il ne reste plus aucune trace de ton maquillage sur mon visage.

Elle n'aurait pu imaginer un pire scénario que Brendan Daniels remarquant une énorme tache brune sur son oreille.

— Je te le jure, répondit Olivia. Tu as retrouvé ton allure pâle et malade.

— Parfait, lui dit Ivy en témoignant sa gratitude. Es-tu prête?

Olivia fronça le nez.

— Je dois encore me recoiffer. De toute façon, c'est probablement mieux si on part séparément. Tu ne penses pas que les gens vont soupçonner quelque chose s'ils nous voient ensemble trop souvent?

Ivy hocha la tête.

— Tu as raison, dit-elle. J'irai en premier.

Olivia déposa son brillant à lèvres.

— Tu sais, dit-elle, tu étais vraiment super belle avec cette jupe.

— Ce que je sais, dit Ivy en faisant une accolade à sa sœur, c'est que *tu* es super belle avec cette jupe. On se revoit dans le cours de sciences.

Elle ouvrit la lourde porte.

— Ciao, lui lança Olivia.

Ivy eut tout un choc lorsqu'elle vit, à moins de 10 casiers de distance, Brendan Daniels ; il avait l'air d'attendre quelqu'un.

Elle se rendit alors compte qu'il avait sans doute patienté là tout ce temps. Son cœur virevolta dans sa poitrine comme une chauve-souris confrontée à la lumière du jour. Et s'il avait entendu ce qu'elles disaient ?

— Ivy, dit-il.

« Il me parle ! » pensa-t-elle.

— Ivy, répéta-t-il en s'approchant.

Elle s'efforça de mettre une botte devant l'autre et glissa sa main le long des casiers pour se stabiliser.

— Salut Brendan, dit-elle d'une voix faible.

— Écoute, commença-t-il.

Il était vraiment le plus beau garçon qu'elle avait vu dans sa vie.

— Est-ce que…

Il s'arrêta et regarda le plancher.

— Mmh mmh? s'entendit-elle dire.

Il la regarda droit dans les yeux. Ivy posa ses deux mains sur son sac pour les empêcher de trembler.

— Est-ce que tu aimerais me retrouver au centre commercial? Disons, après l'école? lui demanda-t-il finalement.

Ivy ne répondit pas. Elle croyait avoir mal entendu.

— Écoute, je… oublie ça, bredouilla Brendan en secouant la tête. À un de ces jours.

Et soudainement, il s'éloigna.

«Dis quelque chose! cria la petite voix dans la tête d'Ivy. Dis quelque chose!»

— Brendan! coassa finalement Ivy.

Il se retourna en vitesse.

— Euh, à quelle heure?

Son sourire rayonna.

— Est-ce que 4 h, ça marche pour toi?

— Bien sûr, répondit-elle en essayant d'avoir l'air détendue. Je dirai à mon père que je rentrerai avant le coucher du soleil.

— Excellent, dit-il.

Il lui fit un signe de la main et partit.

Ivy s'écroula contre les casiers. Ses mains tremblaient encore et son cœur battait très fort. Les gens lui jetaient des regards en se dirigeant vers leurs cours, mais elle s'en foutait.

« Eh bien, pensa-t-elle le souffle coupé, c'est l'un des bons côtés d'avoir une jumelle sociable ! »

Olivia sortit des toilettes au même moment, comme si c'eut été planifié.

— Wow ! On dirait que tu viens de faire un triple saut périlleux arrière et que tu as atterri sur la tête, lui dit Olivia. Que s'est-il passé ?

— Il m'a demandé de sortir avec lui, chuchota Ivy.

Elle avait peine à croire ce qu'elle disait.

— Quoi ? demanda Olivia en se rapprochant. Parle plus fort.

— Il m'a demandé de sortir avec lui ! répéta Ivy d'une voix rauque.

Un large sourire illumina le visage d'Olivia.

— Bravo, Ivy ! cria-t-elle très fort.

— La ferme ! grommela Ivy, bien qu'elle fut incapable de ne pas sourire aussi.

— C'est génial! dit Olivia. Alors, c'est quand le grand jour?

— Aujourd'hui, après l'école, dit Ivy en haletant. Au centre commercial.

Olivia la serra dans ses bras.

— Je dois y aller, sinon je vais être en retard pour le cours d'arts, mais on va avoir un *tas* de choses à se dire dans le cours de sciences!

Et, avec un clin d'œil, elle s'éloigna rapidement.

Ivy aussi allait être en retard pour son cours. Elle reprit assez de forces pour se remettre à marcher et, tout en se frayant un chemin à travers la foule, elle s'imagina son rendez-vous avec Brendan.

Ils iraient faire un tour chez le disquaire Tourne-disque; elle savait qu'il aimait le punk. Il lui montrerait une paire de jeans noirs chez Vêtements Donjon. Il s'assoirait en face d'elle dans l'aire de restauration en buvant de la limonade rouge avec une paille.

Ivy bifurqua vers le couloir principal tout en s'imaginant en train de marcher avec lui, côte à côte, bavardant à propos de...

« Mais de quoi allons-nous parler? » pensa-t-elle en sursautant.

Sa vague d'excitation s'évapora soudainement, comme la brume matinale.
Comment allait-elle parler avec Brendan
Daniels pendant tout un après-midi alors
que, cinq minutes auparavant, elle avait été
presque incapable d'aligner deux mots en
sa présence ?

Elle s'imagina encore avec Brendan au
centre commercial, mais, cette fois-ci, elle
n'arrivait plus à le voir sourire. Ils resteraient
assis en silence. Il serait obligé de commander une autre limonade rouge et de la boire,
juste pour tuer le temps. Il penserait qu'elle
était totalement nulle. Elle essaierait de
trouver quelque chose de drôle à dire ; elle
lui raconterait probablement une blague
stupide à propos du journal de l'école, mais
il ne rirait pas. Il détournerait les yeux.

« Je ne peux pas y aller », se dit Ivy.

La cloche annonçant le début du cours
sonna.

« Je lui dirai que je suis malade »,
décida-t-elle.

Soudain, quelqu'un arriva derrière elle
et la prit par le bras. Elle faillit faire une
crise cardiaque.

— Alors ? T'étais où ce midi ? demanda
Sophia en lui donnant un petit coup dans

les côtes. Dépêche-toi! On est en retard pour le cours d'anglais.

Ivy resta muette. Elle se laissa mener par Sophia.

— Qu'est-ce que t'as? lui demanda son amie. On dirait que t'as vu un fantôme. Est-ce que Brendan Daniels t'a demandé un stylo ou quelque chose du genre? la taquina-t-elle.

— Je ne me sens pas très bien, répliqua Ivy faiblement. Je pense que je suis malade.

Sophia s'arrêta brusquement.

— Oh non, Ivy, il n'en est pas question, fit-elle en secouant la tête. Tu ne vas pas m'abandonner! Ça fait des siècles que tu m'as promis que tu viendrais à la réunion d'aujourd'hui.

Ivy se rendit compte qu'elle avait complètement oublié la réunion. Elle ne pouvait pas aller au centre commercial avec Brendan; elle avait dit depuis longtemps à sa meilleure amie qu'elle irait à cette réunion avec elle après l'école. Sophia la transpercerait d'un pieu si elle se défilait maintenant.

— Je te connais, Ivy, déclara Sophia. Tu n'es *jamais* malade !

— C'est faux, répondit Ivy sans enthousiasme. J'ai été malade en quatrième année.

Sophia fit un sourire en coin.

— Tu avais coincé une bille dans ton oreille.

— D'accord, d'accord, dit Ivy. Elle inspira profondément. J'y serai. C'est à 4 h, c'est bien ça ?

Sophia hocha la tête et Ivy sentit tout son sang quitter son cœur.

« C'est mieux comme ça, se dit-elle. Je mettrai une note dans son casier après les cours pour lui dire que je ne peux pas y aller. »

Elle laissa ses cheveux retomber devant son visage et suivit son amie en classe.

— OK, les jeunes ! cria monsieur Strain, qui arborait un ridicule chapeau de chasse rouge sur la tête. Dispersez-vous ! Je veux un rapport complet sur la flore de ce terrain de soccer ! N'oubliez pas, les conifères vous donnent des points supplémentaires !

Olivia serra son coton ouaté autour d'elle et examina le terrain recouvert de feuilles.

— Je ne suis pas contre les cours de science en plein air, dit-elle juste assez fort pour qu'Ivy puisse l'entendre, mais ça, c'est vraiment stupide.

Elle se tourna pour voir la réaction de sa sœur, mais… Ivy n'était plus là. Elle se retourna davantage et aperçut sa silhouette sombre s'éloignant d'un pas lourd.

— Attends ! cria Olivia.

Elle rattrapa Ivy près de la limite du terrain.

— Hé ! dit-elle, qu'est-ce que…

Ivy lui montra une feuille rouge.

— Tu crois que c'est une feuille de chêne ou de frêne ? demanda-t-elle timidement.

— De chêne, lui répondit Olivia, un peu perplexe. Je ne savais pas où tu étais passée.

Ivy jeta la feuille et se pencha pour en ramasser une autre, puis une autre encore.

— Je ne voulais pas qu'on dérange mon échantillonnage, marmonna-t-elle.

— Ouais, c'est ça, dit Olivia d'un air sceptique.

Ivy continua de travailler en silence, ramassant des feuilles, les examinant, rédigeant quelques notes à leur sujet et les rejetant par terre. Elle avait l'air vraiment triste.

Olivia soupira et toucha l'épaule de sa sœur.

— Ton rendez-vous avec Brendan te rend vraiment nerveuse, hein ?

Ivy s'éloigna.

— C'est pas grave, Ivy, continua Olivia, débordante de sympathie. Cet été, il y avait un gars, et je craquais vraiment pour lui, et il...

— Je n'y vais pas, dit Ivy en fixant le sol.

— Quoi ? dit Olivia.

— Je ne peux pas, répondit Ivy en secouant la tête. J'avais oublié que je devais aller à une réunion. Je l'ai promis à Sophia il y a très longtemps.

— Le gars avec qui tu es en amour par-dessus la tête t'invite à sortir et *tu n'y vas pas* ? s'écria Olivia.

Ivy refusait de la regarder.

— Exact, dit-elle. Et de toute façon, c'est aussi bien comme ça. Si j'y étais allée, j'aurais sûrement fait quelque chose de vraiment horrible, comme de vomir sur lui dans l'escalier roulant ou quelque chose du genre, et je l'aurais regretté jusqu'à la fin des temps.

— Mais de quoi tu parles ? s'exclama Olivia.

— Je sais que c'est exactement ce que je ferais, continua Ivy sans l'écouter et en éparpillant des feuilles dans tous les sens. Et il me détesterait ou pire, il penserait que je suis totalement bizarre. Et… et j'aurais tout gâché.

— Oh mon Dieu, dit Olivia en secouant la tête. Si on était dans un film, je te giflerais pour te faire revenir à toi.

Elle était si consternée qu'elle ne savait plus quoi dire. Elle finit par s'asseoir par terre, les yeux fermés, en réfléchissant très fort. Elle pouvait entendre sa sœur prendre des notes et ramasser des feuilles.

C'était une journée venteuse et Olivia grelottait. Elle aurait aimé avoir encore la jupe longue d'Ivy sur elle.

« C'est ça ! » se dit-elle en se relevant subitement et en courant vers sa sœur.

— J'aimerais vraiment que tu arrêtes de me déranger dans mon échantillonnage, dit Ivy en se déplaçant d'un pas lourd.

Olivia saisit sa sœur par les épaules.

— Ivy, nous devons encore faire un échange, dit-elle d'un ton grave.

— Tu as raison, répondit Ivy en fronçant les sourcils. Tu serais bien meilleure que moi à ce rendez-vous.

— Non. *Tu* vas aller à ton rendez-vous, dit Olivia en souriant largement. J'irai à la réunion !

— Oh ! dit Ivy d'un air stupéfait. Je crois que c'est malheureusement le genre de réunion où une meneuse de claques se ferait remarquer.

Il était clair qu'Ivy ne comprenait pas ; Olivia n'eut donc pas le choix de lui parler très, très lentement.

— Il y aura deux Ivy, espèce d'idiote, expliqua-t-elle. La fausse Ivy, c'est-à-dire moi, ira à la réunion avec Sophia. La vraie Ivy, c'est à dire toi, ira au centre commercial avec Brendan.

Ivy étudia silencieusement la feuille qu'elle tenait dans ses mains pendant un long moment. Enfin, elle leva les yeux vers sa sœur.

— Olivia, je sais que tu essaies de m'aider, soupira-t-elle, mais ça ne fonctionnera pas. Il n'y aura que des Gothiques à cette réunion. Et même si tu étais capable de duper tous les autres, tu ne seras jamais capable de tromper Sophia.

— Si tu as pu le faire avec Charlotte, je peux le faire avec Sophia, lui répliqua Olivia d'un ton confiant.

— C'est mon amie depuis toujours, riposta Ivy.

— Ne me sous-estime pas, supplia Olivia. Ce n'est pas parce que je suis une meneuse de claques que je ne connais pas un tas de choses sur les Gothiques. Je suis la plus grande fanatique de romans de vampires de toute l'école. J'ai lu chacun des romans Comte Vira quatre fois. Je te promets que je ne me ferai pas remarquer.

Ivy rit, non sans un certain malaise.

— Attention, les jeunes.

La voix de monsieur Strain couvrit le terrain.

— Le temps est presque écoulé !

— Dis-moi que tu vas le faire, demanda Olivia avec insistance.

— Je veux le faire, Olivia, mais…

La voix d'Ivy faiblit.

Olivia prit ses mains.

— Ivy, je peux te jurer, en tant que sœur jumelle, que si tu ne vas pas à ce rendez-vous, tu ne te le pardonneras jamais. Le gars que tu aimes bien t'aime bien aussi. *Il t'aime bien*. La seule chose qui pourrait tout gâcher, ce serait que tu lui poses un lapin.

— Mais de quoi on va parler ? demanda Ivy désespérément. Je ne crois pas que

«Quoi de neuf?» soit approprié dans cette situation.

— Je t'aiderai, répondit Olivia avec fermeté.

Elle n'avait certes pas l'intention d'accepter un «non» comme réponse.

— Tu vas être parfaite, tout comme tu l'as été avec Charlotte.

Ivy était silencieuse.

— Les filles! appela monsieur Strain.

— Dis-moi que tu vas le faire, chuchota Olivia. *S'il te plaît.*

Ivy cligna des yeux.

— D'accord, dit-elle, et elle laissa échapper un sourire en serrant la main d'Olivia. Mais c'est *moi* qui porterai mes espadrilles en velours noir.

Olivia appela sa mère à partir du cellulaire d'Ivy, aussitôt que la dernière cloche sonna, pour lui dire qu'elle irait chez cette dernière après l'école. C'était d'ailleurs techniquement vrai; 20 minutes plus tard, Olivia se retrouvait à l'entrée d'une allée bordée de saules qui montait en pente vers une colline. Il y avait, au sommet de cette colline, une maison qui semblait sortir tout droit d'*Autant en emporte le vent*. Ses fenêtres faisaient environ quatre mètres et demi de haut et sa devanture était constituée d'une galerie ornée de colonnes.

Ivy se dirigea vers l'allée.

— C'est ta maison? dit Olivia.

Elle pensa à la maison à deux étages, en briques, où sa famille venait d'emménager, de l'autre côté de Franklin Grove. Olivia aimait beaucoup sa nouvelle demeure; sa chambre était au moins deux fois plus grande que son ancienne. Mais cette maison, c'était un véritable château.

— Oui, dit Ivy. Pourquoi?

— C'est beau, dit Olivia en secouant l'une de ses sandales pour en retirer le gravier.

Elles montèrent l'allée en vitesse et gravirent les larges marches qui menaient à l'entrée. Une énorme lanterne en verre rouge foncé pendait au-dessus de la galerie, sa lumière vacillant, même en plein jour. Ivy s'arrêta avant de tourner la poignée en laiton poli de la porte en chêne richement ornée.

— Attends-moi une minute.

Elle disparut à l'intérieur.

De l'endroit où elle se tenait, à côté d'une pile de bois plus grande qu'elle, Olivia pouvait presque voir la totalité de Franklin Grove, en contrebas. La ville était magnifique ; ici et là, des maisons sortaient d'entre les arbres. Elle aperçut le toit de l'école au loin.

Ivy réapparut.

— Viens, dit-elle en tirant Olivia à l'intérieur. Mon père n'est pas là.

Les yeux d'Olivia s'ajustèrent tranquillement à la faible lumière. L'entrée était immense et ses murs étaient recouverts de motifs entrecroisés de pierre et de bois d'acajou foncé. Elle pouvait à peine distinguer l'escalier extravagant serpentant vers le deuxième étage ; la fenêtre qui le surplombait était habillée d'épais rideaux en velours sombre.

« Ivy n'est apparemment pas le seul mouton noir de la famille, se dit Olivia. C'est le paradis des Gothiques ici ! »

Olivia suivit sa sœur ; elles passèrent devant une armure et descendirent une sinueuse suite de marches en pierre. Le chemin était éclairé par une série de candélabres électriques. Elles arrivèrent à un palier et tournèrent le coin.

Olivia se retrouva soudainement au sommet d'un escalier. Il y avait, à sa gauche, une fenêtre recouverte d'un lourd rideau en velours dont Olivia devinait la fin juste au-dessus du niveau du sol. En suivant Ivy dans les marches, elle vit que le mur à sa droite disparaissait pour laisser entrevoir la spacieuse chambre du sous-sol.

Au centre du plancher de pierre se trouvait un immense tapis rond couleur crème. De grandes bibliothèques en acajou remplies de papiers et de livres occupaient le mur du fond. Dans un coin se trouvait un énorme bureau avec un ordinateur et des piles vacillantes de disques compacts, et dans l'autre se trouvait un grand lit noir recouvert d'oreillers extravagants. Le plancher, pour sa part, était parsemé de chaussures noires; on aurait dit des chauves-souris échouées sur le sol.

— C'est la chambre la plus cool que j'ai jamais vue! avoua Olivia en arrivant au bas de l'escalier.

— Merci, lui dit Ivy d'un ton satisfait.

Olivia se retourna et vit que des mots étaient écrits en grosses lettres noires sur les pierres qui longeaient l'escalier : *J'ai que*

je ne peux plus me reposer, monsieur, ce sont
mes nuits qui mangent mes jours.

— Ça c'est bizarre, murmura-t-elle. Ça
vient de l'histoire de Guy de Maupassant
que j'ai lue à la bibliothèque aujourd'hui.
J'ai même dit à Brendan de la lire !

—*Le Horla* ? répondit Ivy. C'est mortel,
hein ?

— C'est exactement ce que je lui ai dit,
répondit Olivia en souriant.

Puis, elle aperçut la plus grande penderie qu'il lui ait été donné de voir dans toute
sa vie. Elle était faite d'acajou richement
orné et disposait de cinq portes, dont une
qui était ouverte ; des colliers et des sacs à
main brillaient dans la faible lumière.

Olivia accourut et en ouvrit les portes
toutes grandes : il y avait des tas de chan-
dails, de jupes, de hauts et de robes dans
toutes les teintes imaginables de noir, de
mauve, de saphir et de bordeaux et,
de temps à autre, des touches d'émeraude
et de gris faisaient leur apparition. L'une
des sections était remplie de chaussures et
de bottes noires.

— Je savais bien qu'on avait quelque
chose en commun, dit Olivia d'un ton
excité, tout en faisant l'inventaire.

Elle sortit immédiatement un haut léger à manches longues et à col en V, de couleur rouge vin, dont les manches étaient fendues.

— Est-ce que je peux l'essayer ? demanda-t-elle.

* 🦇 *

Ivy se regardait dans le miroir en examinant l'ensemble que sa sœur l'avait aidée à choisir pour son premier rendez-vous avec Brendan. Elle n'avait pas porté ce chandail depuis des siècles, mais elle devait bien admettre qu'Olivia avait raison : elle serait belle à mourir. Olivia avait aussi choisi une longue jupe noire ajustée dont Ivy ignorait totalement l'existence.

— Qu'est-ce que tu penses de ça ? demanda Olivia en faisant référence à sa dernière création.

Elle portait une jupe noire rayée, faite de mousseline et de velours, et un court t-shirt noir sur lequel les mots *Tue-moi tendrement* étaient écrits en lettres gothiques grises. C'était, au bas mot, le sixième ensemble qu'elle essayait.

— Alors *ça*, ça me ressemble, dit Ivy.

Olivia s'examina dans le miroir.

— Et maintenant, les accessoires, décida-t-elle.

Elle se rendit à l'extrémité du placard et revint avec une foule d'objets ornés de lanières et de pendentifs qui faisaient des cliquetis. Elle tendit délicatement à Ivy quelques bracelets et une paire de grands anneaux en argent en lui disant :

— Je ne peux pas croire que tu portes des boucles d'oreille à clips.

Ivy se contenta de hausser les épaules. Quant à elle, Olivia avait choisi un collier ras de cou de velours noir.

Ivy vaporisa un peu de Beauté pâle sur le visage de sa jumelle et elles se placèrent côte à côte devant le miroir afin de finaliser leur maquillage. Toutes deux choisirent le même rouge à lèvres bordeaux foncé.

Ivy jeta un coup d'œil à sa montre et lança un regard affligé à sa sœur.

— Tu dois rencontrer Sophia à l'école dans 15 minutes, et je ne sais toujours pas ce que je suis censée dire à Brendan.

— D'accord, dit Olivia en appliquant rapidement du crayon noir autour de ses yeux. Tu veux savoir le secret pour un premier rendez-vous réussi ?

Ivy hocha la tête avec impatience.

— Pose des questions. Fais-le parler de lui, de sa famille, de ses amis, de ce *qu'il* aime.

« C'est tout ? » pensa Ivy.

Elle lança un regard sceptique à Olivia.

— Le but est d'apprendre à mieux se connaître, expliqua Olivia. Et s'il a l'étoffe d'un petit ami, il te posera des questions aussi.

Ivy devint nerveuse.

— Et je fais quoi si ça arrive ?

— Parle. Dis la vérité. Dis-lui ce que tu aimes et ce qui te rend dingue. La seule chose que tu devrais probablement omettre, c'est ta nouvelle sœur jumelle meneuse de claques ; il pourrait trouver ça un peu délirant.

— Sans blague, dit Ivy en levant les yeux au ciel. Ça devrait être la règle numéro un en amour : pas de révélations à propos d'une sœur jumelle avant au moins le troisième rendez-vous.

Olivia rit et entassa ses vêtements dans le sac à dos noir pelucheux d'Ivy.

— Et n'oublie pas, dit-elle en mettant le sac sur son dos, même si tu n'es pas une victime de la mode excitée, tu pourrais quand même sourire une ou deux fois.

Ivy entendit une porte se refermer en haut.

— Mon père est rentré, tressaillit-elle. Et, ne le prends pas mal, mais je ne crois pas vraiment que ce soit le bon moment pour te présenter.

— Ne t'en fais pas, je ne parlerai pas de toi à mes parents non plus, dit Olivia. Du moins, pas avant qu'on ait compris tout ce qui nous arrive.

Ivy hocha la tête.

— On ferait mieux de sortir par la fenêtre, dit-elle.

Elle dirigea Olivia vers les escaliers et déplaça le rideau.

— Ça fait tellement agent secret, ricana Olivia pendant qu'Ivy la poussait à l'extérieur.

Une minute plus tard, elles avaient rejoint l'extrémité de l'allée.

— Alors, c'est quoi cette réunion au juste ? demanda Olivia.

— Je ne sais pas vraiment, avoua Ivy. Sophia est toujours en train de m'inscrire dans des clubs sociaux et d'autres choses du genre. Je pense qu'elle ne voulait pas me le dire parce qu'elle savait que je n'aimerais pas ça.

Elles empruntèrent un raccourci par le boisé derrière la maison d'un voisin.

— Peu importe ce que tu fais, décréta Ivy alors qu'elles cheminaient le long de l'allée recouverte de feuilles, n'oublie pas que tu ne dois pas avoir l'air heureuse d'être là. Pas d'excitation, pas d'enthousiasme, pas de «Salut tout le monde!». Si tu fais ça, je t'assure qu'ils ne feront qu'une bouchée de toi.

— Compris. Et elle est où, cette réunion?

— Je ne suis pas certaine, mais je sais que ce ne sera pas à l'école. Ce sera probablement juste un tas de… de Gothiques qui débattront d'une chose ou d'une autre.

Soudainement, Ivy commença à avoir des doutes. Et si quelqu'un disait quelque chose qui rendait Olivia louche? Elle s'arrêta à l'endroit où le chemin bifurquait.

— En tout cas, dit-elle avec nervosité, ne fais pas trop attention à ce qu'ils vont dire, vraiment.

Olivia la regarda d'un air perplexe.

— Tu sais, pa-parce que, bégaya Ivy, les Gothiques ont, euh, un sens de l'humour assez bizarre.

— D'accord, dit Olivia en haussant les épaules.

— Je dois passer par ici pour rejoindre le centre commercial, expliqua Ivy en montrant du doigt l'un des chemins. Continue tout droit et tu arriveras dans le terrain qui se trouve derrière l'école. Tu dois rencontrer Sophia devant les portes d'entrée.

Elles s'étreignirent.

— Tu seras irrésistible ! dit Olivia.

— Ne fais rien que je ne ferais pas, répondit Ivy. Sérieusement.

Elle se hâta sur le chemin menant vers le centre commercial, bien décidée à ne vomir à aucun moment lors de son premier rendez-vous avec Brendan Daniels... même dans l'escalier roulant.

CHAPITRE 6

«Amenez-en, des Gothiques!» pensa Olivia.

— Tu es en retard, dit Sophia en se précipitant vers elle, faisant ainsi ballotter son long foulard noir. Ça fait déjà 20 minutes que je suis sortie du labo de photos. Tu n'essayais pas de te défiler, j'espère?

— Non, dit Olivia en s'assurant de ne pas sautiller. Je suis juste passée à la maison pour me changer. Et je ne trouvais pas mon… — elle hésita, et Sophia la regarda d'un air sceptique — mon sac à dos en peluche, termina Olivia.

Sophia était bouche bée.

— Tu veux dire *mon* sac à dos en peluche, celui que tu m'as emprunté et que tu ne m'as jamais remis!

« Oups », pensa Olivia.

— Je pense bien que c'est lui, dit-elle d'une voix rauque.

— Eh bien, dit Sophia, il donne vraiment un look d'enfer. Tu es belle à mourir.

— Merci, dit Olivia.

— Bon, allons-y, dit Sophia en la poussant vers le trottoir. Je ne veux pas être en retard !

« Jusqu'ici, tout va bien », se dit Olivia, soulagée.

Si elle pouvait se rendre à la réunion sans éveiller les soupçons de Sophia le reste serait simple comme bonjour.

Elles traversèrent le stationnement de l'école et empruntèrent la rue Thornhill. Olivia regarda discrètement Sophia, et remarqua que celle-ci l'observait du coin de l'œil.

« Zut, pensa Olivia, elle m'a démasquée. »

Sophia s'arrêta devant elle et la prit par le bras.

— Il faut qu'on parle, dit-elle d'un ton sérieux.

Olivia retint son souffle et attendit le coup fatal.

— Écoute, je sais que tu n'aimeras pas ça, lui dit Sophia en fronçant les sourcils.

En fait, tu vas détester. Mais je veux *vraiment* faire partie du comité d'organisation.

Olivia recommença à respirer. Il semblait que Sophia n'avait pas découvert son secret, du moins, pas encore ! Du reste, Olivia avait été la responsable du comité d'organisation pour le carnaval du printemps dans son ancienne école ; c'était vraiment cool.

— Un comité d'organisation de quoi ? demanda-t-elle avec curiosité.

— Du bal de la Toussaint, lui répondit Sophia d'un air contrit.

On aurait dit un enfant qui sait pertinemment qu'il vient de se mettre dans le pétrin.

— Ils engagent le même photographe professionnel morose chaque année, et je crois que je pourrais faire quelque chose de meilleur, quelque chose de vrai. Mais il faut d'abord qu'on fasse partie du comité d'organisation.

— Ça a l'air cool, laissa échapper Olivia.

Sophia avait l'ait complètement abasourdie ; Olivia se rendit compte qu'Ivy ne penserait pas que l'organisation d'une fête puisse être cool. *Pas du tout.*

— Je veux dire que ce serait cool que tu prennes les photos. Pas d'organiser la fête, s'empressa-t-elle d'ajouter.

Puis, elle continua d'un ton morose, histoire de bien faire sentir toute sa résignation gothique.

— Mais ne t'attends pas à ce que je prononce une seule parole pendant cette réunion. J'accepte d'y aller, mais c'est tout.

— D'accord, dit Sophia d'un air soulagé. Merci, Ivy.

Tandis qu'elles marchaient, Olivia se demanda pourquoi elle n'avait pas entendu parler du bal plus tôt. Dans son ancienne école, il y aurait eu des affiches sur tous les murs.

La rue bordée d'arbres se changea soudainement en une artère bétonnée, et les deux filles passèrent devant un restaurant de la chaîne Poulet Fou et un magasin à rabais Marly. Sophia sauta sur un banc et s'y promena sur la pointe des pieds avant de sauter sur le sol. Olivia s'efforça de limiter sa réaction à un sourire gothique, les lèvres serrées, mais ce ne fut pas chose facile. Puis, elle remarqua les boucles d'oreilles de Sophia : deux petites quilles blanches surmontées de deux petites boules noires.

— Tes boucles d'oreilles sont si mignonnes ! s'exclama Olivia.

— Ne fais pas ta sorcière, répliqua Sophia d'un ton sec.

Elle pensait sûrement que son amie avait voulu être sarcastique.

Olivia se donna un coup de pied mental. Elle devait à tout prix arrêter d'utiliser des mots comme « mignon », autrement elle ne passerait jamais au travers de l'après-midi en un seul morceau.

Sophia bifurqua dans le stationnement d'un énorme supermarché. Olivia en fut un peu surprise, surtout qu'elles étaient déjà en retard pour leur rendez-vous, mais elle suivit l'amie d'Ivy sans dire un mot. Elles devaient peut-être apporter quelque chose à manger pour la réunion, comme des bretzels ou autre chose du genre.

Mais Sophia ne se rendit même pas dans l'allée des croustilles. Olivia la suivit : elles passèrent devant les essuie-tout et les détergents à lessive, pour finalement déboucher à l'arrière du magasin. Elles s'arrêtèrent devant un commis à l'apparence négligée, aux cheveux noir ébène et au nez percé. Il empilait des caisses de jus de canneberge sur un chariot.

Soudain, Sophia lui dit :

— Seigle.

« C'est vraiment une idée de collation moche », se dit Olivia.

Sans même les regarder, le garçon sortit silencieusement de ses poches une clé, attachée au bout d'une chaîne qui pendait à l'arrière de ses pantalons, et déverrouilla une porte grise sur laquelle était inscrit en toutes lettres RÉSERVÉ AU PERSONNEL.

Sophia entra et Olivia s'empressa de la suivre.

« C'est vraiment bizarre », pensa-t-elle.

Elles s'engagèrent dans un escalier horriblement abrupt et mal éclairé. Il n'y avait aucune rampe, et Olivia craignait de trébucher à cause de ses bottes. Sophia la devança et descendit à toute vitesse.

Olivia se dit que cet événement devait être vraiment confidentiel ; mais quelle sorte de bal pouvait bien exiger une réunion ultrasecrète dans le sous-sol d'un supermarché ? La seule chose à laquelle Olivia pouvait penser, c'était une émission spéciale qu'elle avait déjà vue à la télévision et qui portait sur des filles qui organisaient d'énormes fêtes techno dans des entrepôts en Europe. Toute leur planification devait se faire dans le plus grand secret, parce que les policiers cherchaient toujours à les arrêter.

« Ma mère ne me laissera jamais aller à ce bal », se dit Olivia avec un brin de déception.

L'escalier déboucha sur un long couloir sombre. Les filles passèrent devant une porte non identifiée, derrière laquelle Olivia aurait pu jurer qu'elle avait entendu une foule de gens rire et parler. Finalement, après s'être faufilées derrière une pile de chaises abandonnées, elles atteignirent l'extrémité du couloir, ainsi qu'une autre porte isolée.

Sophia poussa pour l'ouvrir, et Olivia fut étonnée de se retrouver dans une salle tout à fait semblable à la salle de conférence qui se trouvait dans l'ancien bureau de son père : tableau blanc, tapis beige hideux, fauteuils de bureau en faux cuir. La seule véritable différence était l'énorme table en pierre qui occupait le centre de la pièce.

Quelques Gothiques étaient déjà arrivés et buvaient du punch aux cerises. Une fille d'apparence sérieuse et portant d'épaisses lunettes plaçait des papiers sur la table.

— Salut So, dit une fille qui portait un collier clouté.

Elle hocha la tête en direction d'Olivia.

— Salut Ivy. Je ne peux pas croire que tu es là.

Olivia n'avait aucune idée du nom de cette fille. Elle se balançait d'un pied à l'autre, mal à l'aise.

Heureusement, la fille aux épaisses lunettes se racla la gorge de façon officielle et sauva Olivia en prenant la parole :

— Nous avons cinq minutes de retard. Commençons.

Olivia était déjà en train de s'asseoir lorsqu'elle remarqua que tous les autres demeuraient debout, derrière leur chaise. Elle se releva brusquement.

Un silence régnait dans la salle. La responsable mit ses mains au-dessus de la table, comme pour les réchauffer près d'un feu, et ferma les yeux.

— Puisse le secret être voilé d'obscurité, dit-elle solennellement.

— Et ne jamais voir la lumière du jour, répondit le groupe à l'unisson.

Olivia était perplexe.

« Ce doit être le sens de l'humour bizarre dont Ivy m'a parlé », se dit-elle.

Elle espéra que personne n'ait remarqué qu'elle n'avait pas participé. Tout le monde s'était maintenant assis, aussi se cala-t-elle rapidement dans sa chaise.

— OK tout le monde, commença la fille. Nous n'avons que trois semaines pour organiser le 202e bal annuel de la Toussaint de Franklin Grove, et je suis bien décidée à ce que ce soit le plus réussi d'entre tous. Ceci est la première des trois réunions que tiendra le comité d'organisation. Nous devons décider aujourd'hui du thème de la soirée et choisir qui sera responsable de...

Elle se fit interrompre par des rires bruyants en provenance du couloir, puis, soudainement, la porte s'ouvrit. Quatre garçons aux cheveux sales et vêtus de t-shirts heavy metal entrèrent, le dos voûté.

Il s'agissait des garçons qui avaient piégé Olivia dans le corridor à l'école, ceux qu'Ivy avait appelés « les Bêtes ». Olivia serra nerveusement son sac à dos sous la table.

« Ça va, se dit-elle. Ivy n'a pas peur d'eux. »

— Quelle surprise, leur dit froidement la fille qui dirigeait la réunion. Vous êtes en retard.

— Désolé Mélissa, répondit l'une des Bêtes d'un ton sarcastique, tout en choisissant une place avec ses amis. On a dû, euh, s'arrêter pour prendre une bouchée.

Les autres Bêtes s'esclaffèrent comme des idiots, mais le reste du groupe se contenta de grogner.

— Dans tes rêves, rétorqua une fille dont les cheveux étaient striés de blanc.

— Comme je le disais, interrompit Mélissa en les rappelant à l'ordre, nous devons d'abord choisir un thème. Réfléchissons ensemble.

Les uns et les autres commencèrent alors à lancer des idées.

— Un bal costumé? dit un garçon à la tête rasée.

— Ou une fête sur le thème de la forêt? suggéra la fille à la mèche blanche. Tout le monde pourrait se déguiser en arbres et en d'autres éléments de la nature. On pourrait faire ça dans les bois.

— Un bal du futur?

— Et si tout le monde devait porter du mauve?

— Je suis déjà allée à une fête pour un seizième anniversaire, et il y avait un bar à glaces; tout le monde avait vraiment beaucoup aimé.

— Je sais! Pourquoi pas un concours de talent?

Mélissa n'avait pas l'air impressionnée.

« Oh mon Dieu, pensa soudainement Olivia, je viens d'avoir la meilleure idée au monde ! »

— Pourquoi pas un thème de vampires ? déclara-t-elle. Avec des cercueils au lieu des tables, des toiles d'araignée et des chauves-souris suspendues un peu partout. Et… oh, peut-être même un grand écran pour projeter ce vieux film de Dracula, celui en noir en blanc, avec l'acteur Bela quelque chose ? Et quelqu'un pourrait prendre des photos en noir et blanc des invités !

Tout le monde se tut pendant un long moment.

— Donc, tu veux entretenir le stéréotype ? dit finalement le garçon à la tête rasée.

« Hein ? » pensa Olivia.

— Je pense qu'Ivy est sur une piste, dit Mélissa en hochant lentement la tête. Le rétro est à la mode.

— Vous imaginez ? Tout le monde porterait des crocs, des capes et tout ! songea la fille à la mèche blanche. Ce serait mortel.

— Je suis d'accord, renchérit la fille au collier clouté en se tournant vers Olivia. Cette idée est vraiment mortelle, Ivy.

Pendant un court instant, Olivia eut peur de se faire mettre à la porte, mais elle se souvint que «mortel» était un terme positif. Elle jeta un coup d'œil à Sophia, qui la fixait, sous le choc, mais qui réussit quand même à lui adresser un petit sourire surpris.

★ 🦇 ★

Ivy était assise à une petite table du restaurant La Grande Pointe, dans l'aire de restauration du centre commercial, et gigotait sur sa chaise en regardant Brendan Daniels faire la file pour commander une pizza «Le délice des carnivores», qu'ils allaient partager. Une longue chaîne argentée pendait de sa poche arrière. Il se retourna et lui sourit derrière un rideau de boucles foncées. Elle lui fit un petit signe rapide de la main et continua d'empiler les distributeurs à épices qui étaient disposés sur la table.

Jusqu'à maintenant, leur rendez-vous ne s'était pas du tout déroulé comme elle l'avait imaginé. Tout d'abord, Brendan l'avait amenée, en passant tout droit devant le Tourne-disque et Vêtements Donjon, à la salle de jeux, où il l'avait mise au défi lors d'un tournoi de hockey sur table.

Ainsi, pendant les 40 premières minutes, ils avaient à peine parlé; ils avaient plutôt crié, ri et frappé avec leurs petites palettes rondes sur la table, tandis que la fine rondelle se déplaçait à toute allure de l'un à l'autre en se cognant contre les panneaux.

Ivy avait remporté quatre parties sur sept.

— Tu m'as laissée gagner! avait-elle dit en souriant et en frôlant bravement le bras de Brendan alors qu'ils avaient quitté la salle de jeux.

— Tu crois? avait-il répondu en faisant demi-tour pour saisir sa main. Alors, retournons-y et voyons qui remporte les quatre prochaines parties.

Brendan avait gagné cette ronde, mais de peu. Il avait promis à Ivy de faire le cumul des points.

Elle le regardait maintenant remplir deux énormes verres au distributeur de boissons.

« Lorsqu'il reviendra, se dit-elle en se remémorant les conseils de sa sœur, je lui poserai des questions sur lui. »

Brendan s'approcha doucement, les yeux rivés sur les deux grands verres qu'il avait remplis à ras bord de limonade rouge.

La vapeur qui se dégageait de la pizza enrobait son visage. Il déposa la nourriture devant Ivy et la regarda.

— Tu sais que j'étais mort de peur, dit-il.

— Tu avais peur de renverser quelque chose ? demanda Ivy.

Elle fit semblant d'être distraite et mit le contenant d'origan en équilibre sur celui du poivre, qu'elle avait déjà empilé sur le contenant de sel.

Brendan secoua la tête.

— J'ai tant de questions à te poser, dit-il.

Ivy cligna des yeux, regarda sa tour d'épices et se prépara à déposer le piment rouge broyé sur le dessus.

— Comme quoi ?

— Je ne sais pas, dit-il en haussant les épaules. Tout ?

Ivy ne pouvait s'empêcher de penser à ce qu'Olivia lui avait dit à propos des garçons qui posaient des questions.

«Il a l'étoffe d'un petit ami!» se dit-elle.

Son cœur battait la chamade. Elle tenta de ne pas laisser transparaître son excitation.

— As-tu des frères ou des sœurs ? lui demanda Brendan.

La main d'Ivy trembla et les piments broyés se renversèrent sur l'origan ; la tour tout entière s'écroula, heurtant de plein fouet le verre de limonade d'Ivy, qui fut projeté dans les airs.

Brendan était déjà sur ses pieds.

— Ne t'en fais pas, dit-il. Je vais chercher des serviettes de table.

Tous les gens qui étaient présents à la réunion du comité d'organisation se mirent rapidement à discuter du thème qu'Olivia avait suggéré pour le bal. Pendant ce temps, les Bêtes chuchotaient et ricanaient ensemble.

Finalement, Mélissa se retourna vers eux.

— Ça vous dirait de partager vos idées avec nous ? demanda-t-elle.

Ils levèrent les yeux.

— Euh, ouais, dit l'un d'eux, on a une idée.

— D'accord, allez-y, dit Mélissa.

— C'est vraiment une excellente idée de, comment dire, de décoration, poursuivit-il.

Ses amis ricanèrent.

— Vraiment excellente, murmura l'un d'eux.

— *D'accord*, dit Mélissa, impatiemment.

— Une fontaine de sang, reprit le premier.

— Une *quoi* ? dit Mélissa.

— Tu as compris. Une fontaine de *sang*.

Les Bêtes rirent hystériquement.

— Bien sûr..., dit Mélissa en levant les yeux au ciel. Parce que ça, ça s'éloigne vraiment des stéréotypes, hein ! De toute façon, on a déjà utilisé des fontaines pour la décoration de l'an dernier.

— Bande de nuls ! chuchota Sophia à l'oreille d'Olivia, qui fut soulagée de voir que les amis d'Ivy ne pousseraient pas son idée aussi loin.

— Alors, continua Mélissa d'un ton décidé. Il semblerait que nous avons notre thème. La prochaine question à l'ordre du jour est donc : où aura lieu le bal ? Des idées ? Et non, dit-elle en lançant un regard furieux aux Bêtes, le cimetière n'est *pas* une option !

Olivia sentit quelque chose sous la table et, lorsqu'elle tourna la tête, elle vit que Sophia la regardait intensément.

— Personne ? demanda Mélissa.

Sophia faisait maintenant la moue et regardait furieusement Olivia. Il était clair qu'elle essayait de lui transmettre un message, mais Olivia n'avait aucune idée de la nature de ce dernier.

Sophia soupira et se retourna vers les autres.

— Pourquoi pas chez Ivy ? suggéra-t-elle. Vous savez, le château en haut de la Colline du fossoyeur ? Il y a une énorme salle de bal au troisième étage ; on peut voir tout Franklin Grove à partir de là.

Olivia donna un coup de pied à Sophia sous la table.

— Je ne suis pas sûre que ce soit une bonne idée ! interrompit-elle rapidement. Je ne crois pas que mes parents... que mon parent... je veux dire mon père... bégaya-t-elle en secouant violemment la tête.

Tous les regards étaient tournés vers elle.

— Il n'aimera pas ça, termina-t-elle piteusement.

— De qui te moques-tu, Ivy ? dit la fille à la mèche blanche. Ton père adore ce genre de choses. Mes parents parlent encore du gala de collecte de fonds, Au cœur de l'hiver, qu'il avait organisé il y a quelques années.

La fille au collier clouté hocha la tête.

— Je suis sûre qu'il serait même prêt à nous aider avec la décoration, ajouta-t-elle. Après tout, il fait partie des meilleurs décorateurs d'intérieur.

— Il a redécoré la maison de ma tante l'année passée, ajouta le garçon à la tête rasée. Elle a une allure d'enfer.

« Eh bien, se dit Olivia, ça explique l'intérieur de la maison d'Ivy. »

— Mais un bal pour toute l'école, ça fait beaucoup de monde, affirma-t-elle.

— Ne sois pas si dramatique, Ivy, dit la fille au collier clouté. Ce n'est pas *toute l'école*. Juste notre communauté. Cent personnes au maximum.

Olivia comprit soudainement pourquoi elle n'avait vu aucune affiche à l'école : c'était un événement strictement réservé aux Gothiques.

« Wow ! C'est vraiment intense ! pensa-t-elle avec excitation. Ça doit être pour ça qu'ils sont si secrets. »

— Bon, puisque tu as trouvé le thème et que c'est ta maison, Ivy, je crois qu'il serait juste que tu sois responsable des décorations, dit Mélissa.

— Il faut quand même que je demande à mon père, murmura Olivia, tout en se disant qu'être responsable des décorations serait vraiment trop génial.

— Que tous ceux qui sont d'accord disent «oui», ordonna Mélissa.

Tout le monde répondit par l'affirmative, même les Bêtes.

— Génial! s'écria Olivia.

Une minute, sa sœur n'aurait pas été aussi excitée. Elle leva les yeux au ciel.

— Je veux dire, *génial,* répéta-t-elle d'un ton sarcastique.

Olivia était encore sur son nuage lorsque Sophia et elle sortirent du super-marché après la réunion. À mi-chemin dans le stationnement, Sophia se retourna pour lui faire face.

— Ça ne te ressemblait pas, dit-elle d'une voix douce, mais ferme.

Le cœur d'Olivia fit trois tours.

«Sophia a découvert le pot aux roses!» se dit-elle.

— Cette idée, continua lentement Sophia. La façon dont tu t'es exprimée. Même le simple fait que tu sois venue.

Un sourire s'afficha sur son visage.

— Merci beaucoup, Ivy! poursuivit-elle en commençant à accélérer le débit. Le simple fait de faire partie du comité d'organisation du bal de la Toussaint, c'est déjà quelque chose, mais en plus ma meilleure amie — elle saisit fièrement la main d'Olivia — ma *meilleure amie* en a trouvé le thème, elle va le faire chez elle et elle sera responsable des décorations! Et devine qui elle va nommer comme photographe? C'est mortel! conclut Sophia en jetant ses bras autour d'Olivia afin de lui faire un énorme câlin.

Olivia ne put s'empêcher de sourire et de sautiller un peu.

— Bon, ça suffit! s'écria Sophia en jetant son foulard par-dessus son épaule. Je dois absolument rentrer à la maison pour étudier mon algèbre. Mais on se reparle plus tard.

Elle fit un petit signe de la main et s'éloigna dans la lumière automnale mourante.

Olivia savait qu'elle aussi devait se dépêcher à rentrer. Elle avait promis d'être là pour 19 h : son père allait faire griller des légumes sur leur nouveau barbecue pour le dîner. Malgré tout, elle décida de s'accorder une petite pause. Après tout, elle avait réussi à survivre à cette réunion. Plus encore, elle avait vraiment fait sa part ; ses parents seraient fiers d'elles s'ils le savaient. Elle sentait qu'elle allait vraiment adorer Franklin Grove. Enfin, à condition qu'Ivy ne la tue pas.

Olivia s'arrêta aux toilettes d'un restaurant, histoire de se changer avant de retourner chez elle. Elle espérait de tout son cœur que sa sœur avait eu un rendez-vous agréable avec Brendan. En fait, elle espérait qu'Ivy soit plus heureuse qu'elle ne l'avait jamais été dans toute sa vie, sinon il y avait de bonnes chances pour qu'elle n'accueille pas très bien les nouvelles d'Olivia. Après tout, Ivy, la « non-excitée nationale » allait non seulement devoir organiser le bal de la Toussaint, mais elle allait aussi devoir convaincre son père de lui prêter la maison pour l'occasion !

CHAPITRE 7

Ivy retira ses bottes, se laissa tomber sur son lit et serra l'un de ses oreillers noirs en forme de chat contre sa poitrine.

Sa tête tourbillonnait et son cœur était sur le point d'exploser.

« Que voulait-il dire quand il a dit qu'il était mort de peur ? se demanda-t-elle.

Je ne peux pas croire que j'ai fait tomber ma boisson ! Mais au moins, je n'ai pas eu à répondre à sa question concernant les frères et sœurs.

Est-ce que c'était un accident quand sa main a touché la mienne dans les escaliers roulants ?

Il a dit qu'on ferait un suivi de nos points au hockey sur table. Est-ce que ça veut dire qu'il va me réinviter à sortir avec lui ?

Je ne veux jamais oublier l'expression sur son visage lorsqu'il m'a dit au revoir.»

Le téléphone sonna et Ivy sursauta. Il sonna encore.

« C'est peut-être Brendan ! » pensa-t-elle. Elle se retourna et saisit le combiné.

— Bonjour ?

— Salutations, madame la responsable des décorations, déclara Sophia d'un ton dramatique.

Ivy avait complètement oublié Olivia et la réunion. Elle se redressa d'un seul coup.

— Salut So. Quoi de neuf ?

— Le bal de la Toussaint le plus mortel de toute l'histoire, lui répliqua Sophia, enchantée.

« Le bal de la Toussaint ? » se dit Ivy.

— Je sais que je suis censée étudier, continua Sophia, mais j'ai trop d'idées qui me passent par la tête. Par exemple, on pourrait prendre les gens en photo avec une silhouette du petit vieux qui jouait le rôle du grand-père dans l'émission *Les Monstres* !

— *Les Monstres* ? dit Ivy d'une voix tremblotante.

— Tu sais, la vieille émission qui passait à la télé.

— Ah oui, répondit Ivy.

Elle commençait à se sentir vraiment faible.

— Je me disais aussi que ce serait vraiment génial d'avoir des cercueils près de l'entrée, dans lesquels on pourrait prendre des photos des invités : ils sortiraient chacun de leur cercueil, en même temps que leur compagnon. Ce serait génial, non ? jacassa Sophia.

Ivy était stupéfaite. Mais qu'avait donc fait Olivia ?

— Alors ? demanda Sophia avec impatience. Qu'est-ce que tu en penses ?

— Depuis quand ce que je pense a de l'importance ? demanda Ivy d'un ton contrarié.

— Eh bien, depuis que tu as trouvé le thème de la soirée, que tu as été élue responsable des décorations et que tu as consenti à ce que le bal se fasse chez toi, répondit Sophia.

QUOI ? Ivy avait désormais des douleurs lancinantes à la tête. Elle se recoucha sur son lit.

— En passant, as-tu parlé à ton père ? demanda Sophia.

— Non, je n'ai pas encore parlé à mon père, répondit Ivy, incrédule.

— Ivy, est-ce que ça va ? demanda Sophia après un long silence.

— Je… euh… je suis désolée So. J'ai juste… vraiment mal à la tête. Je peux te rappeler plus tard ? réussit-elle à dire avant de raccrocher.

Ses mains tremblaient.

« Je n'aurais jamais dû laisser Olivia aller à cette réunion à ma place ! » pensa-t-elle, paniquée.

Mais elle songea ensuite à Brendan ; si elle n'avait pas fait cet échange, elle n'aurait pas pu aller à ce rendez-vous. En fait, si ce n'était d'Olivia, elle n'aurait peut-être même jamais parlé à Brendan.

Ivy laissa échapper un gros soupir. Elle fouilla dans son sac pour trouver son téléphone : elle y avait enregistré le numéro de sa sœur quand Olivia le lui avait emprunté pour appeler chez elle.

— Résidence des Abbot, répondit Olivia d'un ton enjoué.

— C'est moi, dit Ivy.

— Ivy ! Tu es revenue ! s'exclama Olivia, excitée. Je t'ai appelée il y a environ 15 minutes ! C'était comment ?

— C'était…

Ivy s'arrêta.

— C'était *parfait*, dit-elle finalement.

Elle entendit Olivia pousser un petit cri de surprise, comme lorsqu'on déballe un cadeau qui nous plaît vraiment.

— Je le savais, dit Olivia doucement.

Tout d'un coup, Ivy mourut d'envie de tout raconter à sa sœur : l'endroit où elle et Brendan étaient allés, ce qu'il avait dit, l'odeur qu'il avait et comment il l'avait regardée lorsqu'ils s'étaient quittés. Mais au lieu de cela, elle dit :

— N'essaie pas de changer de sujet, Olivia. Je t'avais *très clairement* dit de t'asseoir et de rester muette.

— Je sais, dit Olivia d'un ton gêné. Je suis désolée.

— Non seulement tu ne m'as pas écoutée, mais en plus tu m'as donné la seule tâche que je suis certaine de bousiller.

— Mais non, tu ne bousilleras rien, protesta Olivia.

— Ben voyons ! cria Ivy. Ivy Vega, responsable des décorations ? Je n'aime pas avoir de la pression, je n'aime pas les gens et je n'aime *pas* décorer.

— Mais tu as beaucoup de goût, répliqua sa sœur.

— Olivia, tu ne comprends pas. C'est l'événement le plus important de l'année pour… — elle s'arrêta juste à temps — notre communauté.

— Je vais t'aider, offrit Olivia.

— Merci, mais je pense que tu m'as assez aidée comme ça, lui dit Ivy en se frottant les tempes. Et puis, ajouta-t-elle, qui te dit que mon père sera d'accord ?

— Sophia, répondit Olivia d'un ton neutre. Tu ne m'avais jamais dit que ton père était décorateur d'intérieur. Tout le monde semblait croire que ça lui conviendrait parfaitement.

Ivy grogna de frustration. Elle devait bien l'admettre, son père serait totalement enchanté par la situation ; il essayait toujours de l'encourager à être plus impliquée dans la communauté. « Il me semble, ma belle, disait-il toujours, que tu devrais sortir davantage et prendre plus d'initiatives. »

— Je suis vraiment désolée, Ivy, dit Olivia. Je comprends pourquoi tu es fâchée. Je n'aurais jamais dû t'embarquer dans quelque chose comme ça. Mais Sophia dit que c'est cool d'être impliqué dans le bal.

— Ça l'est, admit Ivy. Mais je ne peux pas le faire, Olivia. Je ne peux tout simplement pas.

— Il y a quelques heures, tu m'as dit que tu ne pouvais pas aller à un rendez-vous avec Brendan Daniels, argumenta Olivia. Et maintenant, regarde le résultat.

Ivy était sans voix. Elle essayait encore de trouver une réplique adéquate lorsqu'elle entendit son père prendre le téléphone.

— Excuse-moi, Ivy, dit-il poliment, mais c'est l'heure du repas.

— Je monte dans une minute papa, répondit Ivy doucement.

Son père raccrocha et Ivy poussa un soupir. Elle se sentait si fatiguée. Pendant un moment, elle ne dit plus rien.

— Rencontre-moi au Bœuf et bonjour demain, à midi, dit-elle enfin, et je te donnerai la réponse de mon père.

— Génial ! s'exclama Olivia à l'autre bout du fil. Alors, tu vas lui demander ?

— À demain, termina Ivy.

La tête en compote, Ivy raccrocha et se leva pour aller rejoindre son père. Elle marcha jusqu'à l'escalier d'un pas lourd, comme un zombie. Soudain, elle imagina Brendan, debout sur le palier supérieur, vêtu d'un smoking distingué, appuyé sur la rampe d'escalier, l'attendant. Il était si craquant : ses boucles foncées mettaient en évidence ses pommettes saillantes et sa mâchoire carrée tandis qu'il regardait partout autour de lui, en admiration devant les décorations. Finalement, son regard rempli d'adoration se posa sur elle.

Ivy secoua la tête, comme pour en faire sortir cette pensée, mais elle fut incapable d'effacer le sourire qui s'était installé sur son visage. Elle monta les marches en sautillant pour aller parler à son père.

— Cet endroit est vraiment populaire, dit le père d'Olivia tandis qu'elle sortait de la voiture.

Apparemment, le Bœuf et bonjour avait encore plus de succès avec son brunch de fin de semaine qu'avec ses burgers après l'école. La file se prolongeait jusqu'à l'extérieur du bâtiment. Olivia salua son père de la main et se faufila à l'intérieur pour voir si sa sœur était déjà arrivée.

En effet, Ivy était installée à sa table habituelle, cachée à l'arrière du restaurant.

Olivia la rejoignit en sautillant.

— Salut! s'exclama-t-elle.

— Bonjour, Olivia, répondit Ivy d'un ton grave.

Le cœur d'Olivia fit immédiatement un bond. Elle s'assit, prête à apprendre que le bal de la Toussaint n'aurait finalement pas lieu chez Ivy.

— Ton père a dit non, c'est ça? soupira-t-elle.

Ivy secoua la tête.

— Il a dit oui.

— Oui? cria Olivia.

— Oui, confirma Ivy avec un grand sourire.

— Génial! déclara Olivia.

— Et tout va bien aller, ajouta-t-elle gaiement.

« Une minute, se dit Olivia. Ça ne ressemble pas du tout à Ivy. » Elle lança un regard sceptique à sa sœur.

— Je pensais que tu avais dit que c'était une idée horrible.

— C'est ce que je pense, répondit Ivy en hochant la tête. Mais j'ai trouvé une solution.

— Tu vas me faire brûler sur le bûcher? lança Olivia à la blague.

Ivy sourit.

— Presque, dit-elle. À partir de maintenant, tu te feras passer pour moi lors de toutes les réunions d'organisation et les activités de décoration du bal.

Olivia cligna des yeux.

— Tu veux dire que tu veux encore qu'on échange de place ?

Ivy fit oui de la tête.

La serveuse apparut soudainement ; Ivy commanda un burger et Olivia demanda une salade grecque, avec des tomates en extra.

Lorsque la serveuse partit, Olivia demanda :

— Et que fais-tu du fameux « Tu ne pourras jamais duper mes amies » ?

— Je suis prête à prendre le risque, répondit Ivy. De toute façon, on dirait qu'elles ne me connaissent pas très bien. Responsable des décorations ! Vraiment…, fit-elle en levant les yeux au ciel.

Olivia réfléchit un moment. Elle s'avoua qu'elle avait eu beaucoup de plaisir à prendre la place d'Ivy à la réunion de la veille.

— Il ne reste que deux réunions, c'est ça ? demanda Ivy.

— Mmh mmh, confirma Olivia. Plus la décoration en elle-même avant le bal, ajouta-t-elle tout en se disant que l'idée d'Ivy pourrait effectivement fonctionner.

— Alors, on a notre plan, dit Ivy d'une voix décidée en lui lança son regard faussement menaçant. Tu ferais mieux de bien me faire paraître.

— Bien sûr, dit Olivia d'un ton distrait. Elle pensait déjà aux idées qu'elle donnerait à la réunion du vendredi suivant.

« Vendredi ! » pensa-t-elle en sursautant.

— Je ne peux pas le faire ! s'exclama-t-elle. Les réunions sont le vendredi et, le vendredi, j'ai mes pratiques de meneuse de claques !

— Je sais, dit Ivy en hochant doucement la tête.

— Je t'en prie, Ivy, la supplia Olivia. Je veux dire, je sais que j'ai tout bousillé, mais si je ne me présente pas à toutes les pratiques, je ne serai jamais acceptée dans l'équipe !

— Je sais, répéta Ivy.

— Je veux vraiment, vraiment, vraiment, vraiment être meneuse de claques pour les Diables, dit Olivia. Tu…

— Olivia, l'interrompit calmement Ivy, je vais aller aux pratiques de meneuses de claques à *ta* place !

Olivia était en état de choc.

— Tu blagues, dit-elle finalement.

— Plus sérieuse que ça, tu meurs, répliqua Ivy, qui semblait effectivement très sérieuse.

« C'est une idée absolument horrible ! » se dit Olivia.

Elle secoua vivement la tête.

— Parler à un sportif pendant l'heure du repas et duper Charlotte, c'est simple comme bonjour comparé aux claques, Ivy. Les filles s'entraînent toute l'année pour les épreuves de sélection. Tu sais, les claques, c'est vraiment difficile.

— Qui a été acceptée dans l'équipe en sixième année ? demanda Ivy.

La serveuse déposa leur nourriture sur la table.

— De toute façon, continua Ivy, je ne te remplacerai pas à l'épreuve de sélection. Tu auras la chance de la passer toi-même.

Olivia hésita.

Ivy se pencha vers l'avant, son burger dans une main.

— Olivia, c'est toi qui m'as mise dans ce pétrin, dit-elle à voix basse. Maintenant, il faut que tu m'en sortes.

— Mais…, commença Olivia.

— Il n'y a pas de mais, interrompit Ivy. Tu vas aller asseoir ton joli derrière de responsable des décorations à toutes ces réunions, un point c'est tout.

Elle prit une grosse bouchée de son burger.

— Mais, je pensais que tu détestais les claques, insista Olivia.

— C'est vrai, avoua Ivy, la bouche pleine. Mais je déteste encore plus l'organisation de fêtes.

Olivia réfléchit tout en entamant sa salade. C'était effectivement de sa faute si Ivy faisait partie du comité d'organisation, et elle lui devait bien de corriger le tir.

— Je vais le faire, dit-elle enfin, mais seulement si tu acceptes de pratiquer avec moi tous les jours après l'école. Nous allons nous entraîner ensemble.

— Absolument, dit Ivy sans hésitation.

— Je suis sérieuse, dit Olivia d'un ton grave. Il faut que tu aies l'étoffe d'une meneuse de claques si tu veux te faire passer pour moi.

— C'est sûr, accorda Ivy.

Même s'il était clair qu'Ivy n'était pas intimidée, Olivia, elle, avait l'impression que quelqu'un s'amusait à agiter des pom-pons dans son estomac. Il y avait tant de choses qui pouvaient mal tourner.

— Est-ce que tu te sentais comme ça hier, après qu'on ait parlé au téléphone? demanda-t-elle d'une toute petite voix.

— Bien pire encore, répondit Ivy.

Olivia prit une grande respiration.

«C'est parti», se dit-elle.

Puis, elle leva les yeux, l'air sérieux.

— D'accord, dit-elle. Ça veut dire que nous n'avons que quatre jours la semaine prochaine pour te mettre en forme. Je vais te soumettre à un programme strict pour le reste de la fin de semaine. Donne-moi un stylo.

— Tu me donnes des devoirs? demanda Ivy, incrédule, en sortant un stylo de son sac.

— Quelque chose comme ça, oui, répondit Olivia en gribouillant une liste sur une serviette de table. Tu as quatre films de meneuses de claques à louer et à visionner d'ici lundi.

CHAPITRE 8

— Je ne peux pas croire que tu m'aies fait écouter un film intitulé *Allez, l'équipe, allez*, dit Ivy.

Olivia et elle discutaient dans le corridor après la première période du matin.

— Ça a été les 82 minutes les plus longues de ma vie. Cette fille, Véronique, était vraiment trop stupide.

— Tu étais censée regarder les *routines*, Ivy, dit Olivia.

Elle fit balancer sa queue de cheval.

— Peu importe, où devrions-nous pratiquer cet après-midi ? J'ai dit à mes parents que j'avais des pratiques tous les jours après l'école pendant les deux prochaines semaines.

— Puisque l'école n'est pas une option, dit Ivy, utilisons ma cour arrière. Mon père vient d'obtenir un gros contrat, alors il rentrera tard pendant un bon bout de temps.

— Fantastique, dit Olivia.

Ivy aperçut, par-dessus l'épaule de sa sœur, Brendan qui arrivait dans le corridor. Instinctivement, elle se cacha derrière Olivia.

— Mais qu'est-ce que tu fais ? demanda Olivia.

Ivy hésita.

— Je me cache, chuchota-t-elle.

Au grand désarroi d'Ivy, Olivia se retourna pour regarder.

— Oh mon Dieu, dit Olivia en se retournant à toute vitesse. Tu devrais voir l'expression sur le visage de Brendan ! dit-elle en serrant légèrement l'épaule d'Ivy. Je vous laisse seuls, les tourtereaux, dit-elle en s'éloignant d'un pas rapide.

— Salut Ivy, dit Brendan en fixant ses chaussures.

— Hé, dit Ivy, la gorge nouée.

Son cœur battait la chamade.

— Comment… comment s'est passée ta fin de semaine ? demanda-t-il.

— Bien, répondit Ivy.

Elle était incapable de formuler une réponse plus élaborée.

Il rit, gêné, et détourna le regard dès que leurs yeux se rencontrèrent.

— Merci encore d'être venue au centre commercial avec moi, lui dit-il.

— Il n'y a pas de quoi, répondit Ivy gauchement.

Elle savait que ses réponses devaient paraître sérieusement ennuyeuses, mais elle était trop énervée pour mettre de l'ordre dans ses pensées.

Brendan commença à jouer avec le capuchon du stylo qu'il tenait dans ses mains.

— Alors, euh...

Soudain, Ivy se rendit compte que Brendan Daniels était nerveux. Elle pouvait presque entendre son cœur battre, ce qui le rendait encore plus craquant.

Il laissa tomber le capuchon de son stylo, qui frappa le sol avec un cliquetis. Tous deux s'agenouillèrent pour le ramasser, et la main d'Ivy frôla celle de Brendan.

— Désolé, dirent-ils à l'unisson.

Brendan ramassa le capuchon.

— En fait, je voulais te demander si... si tu voulais venir au bal de la Toussaint

avec moi ? dit enfin Brendan, toujours age-
nouillé maladroitement.

Le cœur d'Ivy faillit s'arrêter de battre
pour de bon. Elle regardait Brendan, le
garçon dont elle était amoureuse depuis
trois ans, mais à qui elle avait parlé pour
la première fois vendredi dernier seulement. Puis, son cœur recommença à battre
avec un rugissement. Brendan la regardait
attentivement tandis que son esprit se rem-
plissait de questions.

«Que vais-je porter ? Et si je dois danser ? Et si j'ai l'air stupide ? » Heureusement
qu'elle était déjà par terre, autrement elle se
serait sûrement effondrée.

Finalement, Brendan se releva.

— Ça va, dit-il doucement tout en
hochant la tête avec résignation. Je comprends que tu ne veuilles pas y aller. Je...
j'espère juste qu'on pourra quand même
être amis.

Ivy se leva d'un seul bond.

— Non !! s'écria-t-elle. Je veux dire oui !
dit-elle en secouant vigoureusement la tête,
comme si une tonne d'abeilles l'entouraient.
Je veux dire, je ne sais pas danser.

Le visage de Brendan s'illumina comme
la pleine lune.

— Moi non plus, répondit-il. Mais as-tu déjà essayé de danser avec une autre personne qui ne sait pas danser ? demanda-t-il en penchant la tête sur le côté.

Ivy fit signe que non.

— Ce n'est pas si mal, lui dit Brendan. Regarde.

Il prit les mains d'Ivy et les posa sur ses épaules, puis il mit doucement ses mains sur ses hanches.

Ivy avait la sensation d'être connectée à l'un de ces appareils d'électricité statique que l'on voit dans les musées de sciences. Un courant d'énergie traversait tout son corps et ses cheveux s'étaient redressés sur sa nuque.

Ni l'un ni l'autre ne bougea.

— Qu'est-ce qu'on fait ? murmura enfin Ivy.

— On ne danse pas, chuchota-t-il en la regardant intensément dans les yeux.

Ils restèrent ainsi pendant une éternité, du moins jusqu'à ce qu'Ivy entende la cloche sonner, annonçant le début de la deuxième période.

— Et après, qu'est-ce qui s'est passé? demanda Olivia en se penchant vers l'avant et en déposant ses paumes sur le gazon frais.

Elle pouvait sentir les muscles à l'arrière de ses jambes s'étirer. Ivy prit son pied et l'étira le plus loin possible derrière elle.

— J'ai été en retard pour le cours d'art, répliqua-t-elle évasivement.

Pendant un moment, Olivia pensa qu'Ivy avait rougi, mais elle se dit que c'était peut-être simplement une illusion causée par le soleil. Finalement, elle décida d'arrêter de jouer aux devinettes.

— Eh bien, dit-elle en sautant sur la pointe des pieds, je ne sais pas si c'est la chose la plus romantique que j'aie entendue... ou la plus *bizarre*.

— Tais-toi! cria Ivy.

— Ne pas danser? rigola Olivia.

Sa sœur était *tellement* en amour!

— Arrête! dit Ivy. C'était vraiment... adorable.

— Je ne te connais peut-être pas depuis très longtemps, dit Olivia avec un large sourire, mais je sais déjà qu'«adorable» ne fait pas partie du vocabulaire courant de ma sœur.

— Adorable, répéta tendrement Ivy.

Olivia saisit la main de sa sœur avec espièglerie.

— Eh bien, dit-elle, tu as certainement toutes les raisons de… POUSSER UN CRI!

Elle leva leurs bras dans les airs.

Ivy grogna.

Olivia la fit taire en frappant deux fois dans ses mains.

— OK, commençons! dit-elle en marchant devant sa sœur à la manière d'un sergent. Quelle est la chose la plus importante à retenir lorsqu'on fait une routine?

Ivy réfléchit une seconde.

— M'assurer que mes petites culottes ne soient pas coincées entre mes fesses?

— Non, dit Olivia. Ne jamais arrêter de sourire! dit-elle lentement et avec douceur.

— Ah, ça, répondit Ivy en fronçant les sourcils.

— Montre-moi, commanda Olivia.

— Je suis obligée? Personne ne regarde, se plaignit Ivy.

— Exactement, dit Olivia.

Ivy poussa un énorme soupir et tordit sa bouche en un sourire difforme qu'on aurait dit dessiné sur son visage, à l'aide d'un marqueur, par un enfant de quatre ans. Elle haussa les sourcils en signe de défi.

— Je parierais que tu ne connais pas non plus la deuxième chose la plus importante à retenir, dit Olivia en marquant une pause afin de donner un ton dramatique à la chose. Ne jamais, au grand jamais…

Les yeux de sa sœur s'écarquillèrent impatiemment.

— …toucher les pompons d'une autre meneuse de claques !

Un large sourire se dessina sur le visage d'Ivy.

— Conserve ce sourire ! cria Olivia en s'empressant de montrer la première routine à Ivy.

Elle avait pris soin d'en choisir une qu'elle pensait que sa sœur apprécierait :

« Les cendres aux cendres,
la poussière à la poussière,
Contre nous, vous perdrez, c'est clair.
On va vous écraser.
Vous allez en pleurer.
Si vous sonnez les Diables,
Vous serez foudroyés (frappe, frappe) ! »

Olivia finit avec un grand sourire, les poings en l'air ; sa queue de cheval se balançait toujours.

— OK, dit-elle. À ton tour, maintenant !

Sa sœur se mit en position de façon nonchalante. À partir du cou en montant, Ivy était encore pire que ce à quoi Olivia s'attendait : elle marmonnait et était incapable de garder le sourire.

Mais à partir du cou en descendant, Olivia avait peine à y croire : Ivy frappait des mains en parfaite cadence, ses sauts étaient hauts, son grand écart témoignait de beaucoup de souplesse et, à la fin, elle exécuta même un saut arrière parfaitement réussi.

Ivy la regarda d'un air inquisiteur. Olivia resta de glace et dit :

— On en essaie une autre.

Cette fois-ci, elle lui montra une routine beaucoup plus compliquée. Les filles de son ancienne équipe l'avaient surnommée la « laveuse-sécheuse » parce qu'elle comportait un très grand nombre de culbutes : elle se terminait par trois rondades consécutives.

Ivy l'exécuta parfaitement dès son premier essai, sauf qu'elle fit quatre rondades au lieu de trois. Lorsqu'elle s'arrêta enfin, son dos se trouvait à moins de 30 centimètres du mur de sa maison.

— Wow ! dit Olivia.

— Je te l'avais dit, répondit Ivy en se retournant, les deux bras croisés, avec un sourire moqueur.

— Si on réussit à te faire crier et sourire comme il faut, il y a de bonnes chances pour qu'on puisse s'en sortir, admit Olivia.

— Je ne pourrais pas me contenter de faire semblant ? demanda Ivy en balayant le sol de son pied.

Olivia fronça le nez.

— Désolée, mais non.

Avant la fin de l'heure, Olivia avait réussi à lui apprendre quatre routines, soit une de plus que ce qu'elle avait prévu. Ivy apprenait vraiment rapidement. En terminant la pratique, Olivia mit ses mains sur les épaules de sa sœur et lui dit :

— Ce soir, je veux que tu enfouisses ton visage dans ton oreiller et que tu cries de toutes tes forces. D'accord ?

— Je ferai de mon mieux, convint Ivy.

Elles s'étreignirent en guise d'au revoir.

Olivia longea le côté de la maison et descendit rapidement la longue entrée en sautillant. Elle avait promis à sa mère qu'elle l'aiderait à faire le repas afin de célébrer le désemballage de leur dernière boîte de déménagement.

Elle se sentait tellement mieux. Au cours des trois derniers jours, Olivia s'était fait beaucoup de souci ; elle se demandait comment elle ferait pour entraîner Ivy tout en étant elle-même fin prête pour les épreuves de sélection. Mais la pratique d'aujourd'hui avait tout changé. Avec une partenaire aussi douée qu'Ivy, elles seraient toutes deux dans une forme spectaculaire ! Elle gambada jusqu'au cul-de-sac qui se trouvait à l'extrémité de l'entrée.

— Bonjour, Olivia, l'interpella froidement une voix familière.

Charlotte Brown était dans l'allée voisine, laquelle menait à une maison de plain-pied couleur pêche. Olivia avait complètement oublié que Charlotte et Ivy étaient voisines.

— Salut, Charlotte, dit Olivia d'un ton hésitant.

— Est-ce que tu t'es amusée, chez Ivy ? demanda Charlotte.

« Une chance qu'on n'a pas répété dans la cour avant », se dit Olivia.

— Oui. C'était génial, dit-elle vaguement.

Charlotte secoua la tête.

— Je ne te comprends pas, Olivia, dit-elle. Tu es une bonne meneuse de claques. Tu pourrais vraiment avoir un bel avenir avec nous. Mais, poursuivit-elle en haussant les épaules, si tu préfères devenir une fossoyeuse, c'est ton choix.

Elle se retourna et remonta l'allée en trottant.

— Mais ne t'attends pas à ce que nous, les filles normales, fassions partie de ta secte ! cria-t-elle par-dessus son épaule.

En marchant vers son domicile, Olivia fut étonnée de constater à quel point les choses avaient changé depuis qu'elle avait rencontré Charlotte la semaine dernière.

« Quand je pense que j'ai cru que Charlotte Brown allait devenir ma nouvelle meilleure amie, se dit-elle. Ouache ! »

CHAPITRE 9

— Qu'est-ce que tu penses d'une boîte remplie d'accessoires pour les photos ? Les gens pourraient faire semblant de se transpercer avec des pieux ! demanda Sophia avec enthousiasme en déposant un carré au chocolat dans son cabaret.

Ivy s'efforça de hocher la tête avec enthousiasme, mais sa meilleure amie était en train de la rendre complètement folle : le bal était le seul sujet de conversation de Sophia ces derniers temps. Ivy balaya la cafétéria du regard à la recherche d'un endroit où s'asseoir. Holly et Colette étudiaient pour un examen à la bibliothèque, alors Ivy savait qu'elle devait absolument faire quelque chose pour éviter d'avoir à passer toute l'heure du déjeuner à débattre des avantages des serpentins par rapport aux ballons.

Elle aperçut Olivia assise dans un coin avec Camilla Edmunson. Ivy et Sophia la connaissaient, car elle écrivait de temps à autre pour le journal de l'école.

— Allons nous asseoir là-bas, suggéra Ivy.

En s'assoyant avec elles, Sophia serait bien obligée d'arrêter de parler du bal.

— Avec les lapins ? dit Sophia avec scepticisme.

— Pourquoi pas ? répondit Ivy. Tu aimes toujours les critiques de livre que Camilla fait pour le journal.

Sophia haussa les épaules et elles se dirigèrent toutes deux vers les filles.

— Salut, dit Ivy en jetant un regard innocent vers Olivia. Est-ce qu'on peut s'asseoir ici ?

— Bien sûr, répondit Camilla.

— Absolument, approuva Olivia.

— Le dernier essai photographique que tu as fait pour le journal était vraiment fantastique, Sophia, dit Camilla une fois qu'elles furent assises.

— Merci, répondit Sophia avec satisfaction. En parlant du journal, j'ai lu le livre que tu as critiqué la semaine dernière. Tu sais, celui auquel tu as donné quatre diables sur cinq, *L'effet vortex*? Tu avais raison : il était mortel.

— C'est vrai, hein! s'extasia Camilla.

— Où est ton repas? demanda Olivia à Ivy en désignant son cabaret à moitié vide.

— Il ne restait plus de burgers, expliqua Ivy en levant les yeux au ciel. Quel genre de cafétéria manque de burgers?

— On devrait faire une émeute, lança Sophia à la blague, ce qui fit bien rire tout le monde.

— Veux-tu un peu de ma lasagne au bœuf? offrit Camilla. C'est ma mère qui l'a faite. C'est vraiment la meilleure!

Ivy jeta un coup d'œil dans le plat de Camilla. La lasagne avait vraiment l'air bonne et elle mourait d'envie de manger quelque chose qui contenait de la viande.

— D'accord, dit-elle d'un ton reconnaissant. Mais seulement si tu crois en avoir assez.

Camilla fit glisser une généreuse part de lasagne sur une serviette de table qu'elle tendit à Ivy.

— Merci, dit-elle.

Elle en prit une grosse bouchée qu'elle engloutit rapidement. Sa langue se mit immédiatement à brûler. Elle s'étouffa, puis avala pour faire cesser la douleur.

« Oh, non ! pensa Ivy, totalement paniquée. C'était la pire chose à faire ! »

Elle fut prise de nausées et eut soudainement très froid. Elle commença à voir des points : de grosses taches noires et bleues brouillèrent sa vision.

— Ivy ? dit Olivia en se penchant vers elle. Est-ce que ça va ?

Elle ne pouvait pas répondre.

— Elle a l'air vraiment pâle. Je veux dire, encore plus pâle que d'habitude, dit Camilla d'une voix qui, pour Ivy, semblait venir de très loin.

Ivy cligna des yeux. Elle avait un mal de tête horrible. Sophia saisit la main d'Ivy et se tourna vers Camilla.

— Est-ce qu'il y avait de l'ail dans ça ? lui demanda-t-elle d'un ton urgent.

— Je, euh, je ne sais pas, bégaya Camilla. Peut-être.

— On doit y aller, dit Sophia en se levant d'un bond.

Ivy sentit son amie l'aider à se lever. La dernière chose qu'elle entendit, tandis que

Sophia la traînait hors de la cafétéria, fut la voix d'Olivia qui demandait :

— Est-ce qu'elle va bien ?

On aurait dit qu'un million de kilomètres les séparaient.

— Tu crois qu'elle va bien ? répéta Olivia alors qu'Ivy et Sophia disparaissaient derrière les portes de la cafétéria.

— Je ne sais pas ce qui s'est passé, dit Camilla en secouant la tête d'un air coupable. Peut-être qu'Ivy est allergique à l'ail.

— Elle avait l'air si malade ! avoua Olivia.

— Tout le monde dit que la lasagne de ma mère est excellente, expliqua Camilla. Au moins, Sophia semblait savoir quoi faire.

— Oui, dit Olivia en se tordant les mains. J'espère juste qu'Ivy va bien.

Après le repas, et durant tout l'après-midi, Olivia chercha sa sœur dans les couloirs, mais elle restait introuvable, tout comme Sophia.

Olivia commença véritablement à s'inquiéter lorsqu'elle vit qu'Ivy ne se présentait pas pour la dernière période. Elle se souvint qu'à son ancienne école, le petit frère d'un des élIvys avait failli mourir après avoir accidentellement mangé une arachide. Tout au long du cours de sciences, Olivia dut résister à l'envie de se précipiter hors de la classe; elle fixait la porte sans arrêt.

— Olivia? fit monsieur Strain en la pointant avec un morceau de craie. Quel est le processus par lequel les plantes transforment le soleil en énergie?

— Euh... la chlorophylle? suggéra Olivia.

La classe entière se mit à rire.

Ce fut le cours de sciences le plus long de toute sa vie. Lorsque la cloche sonna enfin, Olivia avait déjà rangé ses choses et composé le numéro d'Ivy sur son nouveau téléphone cellulaire.

Elle fut la première à sortir de la classe, et elle appuya sur « Appeler » aussitôt qu'elle en eut franchi le seuil. Il sonna une fois. Deux fois. Trois fois. *Quatre fois.*

— Allô? répondit Ivy d'une voix malade.

— Ivy! s'écria Olivia. Est-ce que ça va?

— Salut Olivia, lui répondit sa sœur d'une voix faible. Je vais bien. J'ai juste fait… une grave réaction à… à l'ail dans la lasagne de Camilla.

— On dirait que tu vas vraiment mal, lui dit Olivia en s'appuyant contre un casier.

— J'irai mieux… dans un jour ou deux, lui répondit sèchement Ivy.

Les yeux d'Olivia se remplirent de larmes.

— J'étais vraiment inquiète, hoqueta-t-elle.

— Non vraiment, je vais bien, lui dit Ivy d'un ton rassurant. Mais je ne pourrai pas… pratiquer aujourd'hui. Je suis désolée.

— Ne t'en fais pas, répondit Olivia qui, dans sa panique, avait complètement oublié qu'elles devaient pratiquer ensemble cet après-midi. Je veux juste que tu ailles mieux! As-tu besoin de quelque chose?

— Non merci, chuchota Ivy. Juste de repos.

— Je t'appellerai plus tard, lui dit Olivia.

Après avoir raccroché, Olivia aperçut Camilla près de son casier et alla la voir pour lui donner des nouvelles.

— Ivy va bien, lui dit Olivia. Elle est rentrée chez elle.

— Que s'est-il passé? demanda Camilla, les yeux écarquillés par l'inquiétude.

— Elle est allergique à l'ail, expliqua Olivia. Elle a besoin de temps pour récupérer, mais elle dit que ce n'est vraiment rien de grave.

— Je suis tellement soulagée qu'elle aille bien, dit Camilla en glissant un livre dans son sac. Est-ce que tu fais quelque chose aujourd'hui ? demanda-t-elle en regardant Olivia.

— J'avais des plans, répondit-elle, mais ils ont été annulés.

— Veux-tu venir avec moi à une séance de signature au centre commercial ? demanda Camilla en balançant son sac par-dessus son épaule. C'est un gars qui est un genre de demi-dieu dans le monde de la science-fiction.

Olivia y réfléchit une fraction de seconde ; ses parents ne l'attendaient pas avant l'heure du dîner.

— Bien sûr, conclut-elle en souriant. J'aimerais beaucoup y aller.

Le jeudi suivant, en fin d'après-midi, Ivy s'étirait dans sa cour arrière en attendant l'arrivée d'Olivia. Bien qu'elle se sentit encore quelque peu ankylosée en raison de l'incident de la lasagne, elle était définitivement prête, après deux jours passés au lit, à réintégrer le monde des vivants.

Elle s'assit sur le sol et se pencha pardessus ses jambes allongées afin d'atteindre ses orteils. Il avait plu la nuit d'avant et le gazon était encore mouillé; l'humidité transperça ses pantalons en molleton noirs, ce qui eut pour effet de la faire rapidement bondir sur ses pieds.

Au même moment, sa sœur tourna le coin de la maison en lui adressant un «Salut!» excité.

Ivy sourit et elles s'étreignirent très fort.

— Une bouchée d'ail et tu es K.-O.? lui dit Olivia en lui donnant un petit coup amical en signe d'incrédulité. C'est fou!

Ivy recula et haussa les épaules de façon gênée.

— J'ai mangé trop d'ail quand j'étais bébé, marmonna-t-elle. Maintenant, ça ne passe plus.

— C'est bizarre, dit Olivia, surtout que nous avons eu les mêmes parents jusqu'à l'âge d'un an et que j'*adore* l'ail.

«Est-ce qu'elle sait que je mens?» se demanda Ivy.

Heureusement pour elle, sa sœur ne s'étendit pas plus longtemps sur le sujet. Elle frappa plutôt deux fois dans ses mains et dit :

— Ceci étant dit, lundi tu as prouvé très clairement que tu sais exécuter des routines admirablement. Mais tes cris ressemblaient davantage à des mômeries !

— Est-ce que tu fais exprès pour faire des rimes ? demanda Ivy.

— Oui, répondit Olivia avec enthousiasme. Alors, aujourd'hui nous allons voir si tu peux livrer un ton excité !

Ivy leva les yeux au ciel. Puis, elle se redressa, fixa un sourire sur son visage et entama *Les cendres aux cendres*. Au cours de ces deux journées passées au lit, elle avait trouvé un truc pour l'aider à garder le sourire : elle n'avait qu'à imaginer les quatre Bêtes debout dans un cimetière, portant uniquement des sous-vêtements roses sur lesquels était écrit *Je suis avec cet imbécile*. Ça fonctionnait à tout coup.

— Bravo, Ivy ! cria Olivia tandis qu'elle terminait son couplet. C'était beaucoup mieux ! Tu as même souri !

— Merci, répondit Ivy, un peu gênée.

Olivia lui donna de petites tapes dans le dos et lui demanda :

— Veux-tu qu'on essaie des combinaisons de rondades pour une nouvelle routine ?

— D'accord, répondit Ivy.

Elles se rapprochèrent de la maison et se retournèrent pour faire face à une lointaine rangée de buissons épineux. Olivia fit le décompte et, ensemble, elles firent quelques pas en courant avant de s'élancer dans les airs.

Une, deux, trois rondades. Du coin de l'œil, Ivy vit Olivia étirer son dernier mouvement.

Elle décida d'en faire un peu plus et posa sa main par terre, prête à se propulser pour un saut de mains. Mais sa paume glissa sur le gazon mouillé, son bras quitta le sol et, soudainement, elle se sentit projetée dans les airs de façon incontrôlée.

Comme un kaléidoscope, les buissons épineux se rapprochaient d'elle en tourbillonnant.

— Aïe ! cria Ivy en les percutant.

Olivia accourut.

— Ivy !

— Ça va, lui dit-elle, bien qu'elle se sentit totalement nulle. Ça m'apprendra à vouloir épater la galerie, conclut-elle en se relevant et en s'époussetant.

— Tu es blessée ! s'exclama Olivia.

Ivy baissa les yeux et vit que son bras gauche était recouvert de sang : il y avait deux profondes coupures qui s'étalaient sur toute sa longueur. Elle avait été imprudente ; en temps normal, elle aurait pris soin de vérifier qu'elle n'avait aucune blessure apparente avant de ressortir des buissons, mais il était trop tard. Elle couvrit instinctivement ses égratignures de son autre main afin d'empêcher sa sœur de les voir.

Mais avant qu'elle n'ait eu le temps de réagir, Olivia se trouvait déjà à ses côtés, essayant tant bien que mal de déplacer sa main.

— Laisse-moi voir, dit Olivia d'un ton rassurant. J'ai suivi ma formation de premiers soins pendant mes cours de gardiennage, l'été dernier.

Olivia retira les doigts d'Ivy et tamponna soigneusement sa blessure à l'aide d'une petite serviette qu'elle avait sortie de sa ceinture.

Le sang salit la serviette d'Olivia, mais comme Ivy s'y attendait, les égratignures avaient disparu !

— Mais tu saignais, dit Olivia en retournant le bras d'Ivy à la recherche d'une coupure. Tu saignais, dit-elle encore d'un ton perplexe.

Ivy fixa le sol en se demandant ce qu'elle allait bien pouvoir dire.

Olivia secoua la tête en fronçant les sourcils.

— Est-ce que ça fait mal?

— Non, ça va. Je, euh…, bégaya Ivy.

Comment allait-elle pouvoir lui expliquer ça?

— Est-ce que tu t'es coupée ailleurs? demanda Olivia en se penchant pour examiner les jambes d'Ivy. C'est trop bizarre, murmura-t-elle en serrant la serviette ensanglantée dans ses mains.

Ivy sentait que sa sœur essayait de capter son regard.

— Ivy? demanda Olivia, visiblement confuse. Que s'est-il passé? Est-ce que tu… tu as *guéri*?

« Je devrais dire la vérité à Olivia, se dit Ivy. Je ne veux pas lui mentir. Elle est ma sœur jumelle. »

— Ivy, dis quelque chose! s'exclama Olivia d'un ton exaspéré.

« Je dois le lui dire », décida Ivy.

— Olivia, dit lentement Ivy en regardant sa sœur droit dans les yeux, je dois te dire un secret.

— D'accord, répondit prudemment Olivia.

— C'est sérieux, lui dit Ivy en lui prenant la main. Tu dois me promettre de n'en parler à personne.

Olivia regarda attentivement Ivy.

— Qu'est-ce qu'il y a ?

— Je m'apprête à te révéler le plus gros secret qui te sera confié dans toute ta vie, répondit simplement Ivy.

Olivia prit une grande respiration.

— Je le jure sur notre fraternité, dit-elle enfin.

Ivy entraîna Olivia dans l'ombre des buissons épineux, puis elle porta lentement ses mains à son visage et retira ses verres de contact, l'un après l'autre.

Olivia couvrit sa bouche de sa main.

— Tes yeux sont mauves !

— Ils sont violets, corrigea Ivy en tentant de sourire. Olivia, je suis une vampire.

Olivia posa ses mains sur ses hanches.

— Non, c'est faux.

Ivy hocha solennellement la tête en guise de réponse.

— Tu es une vampire ? demanda Olivia, abasourdie. Pour vrai ?

— Sophia aussi est une vampire, continua Ivy. Et les autres personnes de ma… communauté : ce sont aussi des vampires. Nous portons des verres de contact pour protéger nos yeux du soleil.

— Oui, bien sûr, dit Olivia. Et tu penses que je vais croire que les vampires ont les yeux mauves !

— Pas tous, non, avoua Ivy d'un ton neutre en remettant ses lentilles. Mes yeux sont spéciaux. Le jaune vif et le vert brillant sont les couleurs les plus habituelles.

— *Habituelles* ? répéta bêtement Olivia.

— Eh oui, confirma Ivy.

— Ce n'est pas comme ça dans les livres Comte Vira, dit Olivia avec incertitude en secouant sa queue de cheval.

— Comte Vira, c'est de la fiction, répliqua Ivy. Moi, je suis bien réelle. Nous devons aussi porter un écran solaire spécial, continua-t-elle. La peau des vampires est très pâle et très sensible. Elle est complètement différente de la vôtre.

— Est-ce que c'est pour ça que ton bras a arrêté de saigner ? demanda Olivia.

— Nous guérissons extrêmement vite, expliqua Ivy.

Soudain, Olivia fit un pas en arrière.

— Est-ce que tu vas boire mon sang ? demanda-t-elle.

Ivy leva les yeux au ciel.

— Olivia, je suis ta jumelle, dit-elle. Et puis, penses-tu que je m'entraînerais avec toi si je voulais boire ton sang ?

Olivia revint et examina le bras d'Ivy de plus près.

— Mais, ce n'est pas ce que les vampires font ? Boire du sang et tuer des gens ? demanda-t-elle.

— Nous ne tuons personne. *Jamais*, dit Ivy d'un ton sérieux. Ce serait mal ! En plus, le risque d'exposer notre véritable identité serait trop grand. Nous ne buvons plus de sang depuis le XVIIe siècle, lorsqu'ils ont brûlé la moitié des nôtres sur un bûcher.

— Alors, comment est-ce que tu satisfais ta soif insatiable d'hémoglobines ? insista Olivia.

— *Ma soif insatiable d'hémoglobines !?* répéta Ivy, incrédule. Il faut vraiment que tu lises de meilleurs livres, Olivia. Je vais au supermarché du sang comme tous les autres. Il y en a un dans le sous-sol du Supermarché FG.

Olivia hocha la tête pensivement. Puis, ses yeux s'illuminèrent.

— Tu as un reflet. Tu ne peux *pas* être une vampire ! déclara-t-elle, triomphante.

Ivy haussa les sourcils.

— C'est un mythe.

— Oh, fit Olivia, bouche bée. Est-ce que tu dors dans un cercueil ?

— Oui, répondit Ivy en rougissant presque. Cette croyance-là est vraie.

— Mais j'ai vu ton lit, dit Olivia.

— L'édredon, les oreillers et tout le reste le rendent plus confortable pour faire mes devoirs. Il y a un cercueil en dessous. Quand j'étais petite, j'étais super jalouse de Sophia et des cercueils superposés que sa sœur et elle avaient, ajouta-t-elle avec un brin de nostalgie.

— Et lorsque la lasagne de Camilla t'a rendue malade ? demanda Olivia.

— C'était un peu plus qu'une réaction allergique, avoua Ivy.

— Tu es vraiment sérieuse, dit Olivia avec étonnement.

— Totalement, confirma Ivy.

Pendant un moment, Olivia ne dit plus rien. Puis, elle fit un petit sourire nauséeux.

— Je suis *tellement* contente de ne pas avoir bu de punch aux cerises à la réunion pour le bal.

Ivy ne put s'empêcher de rire.

— Plutôt génial comme secret, hein ? dit-elle.

— Totalement, répondit Olivia.

Ivy toucha le bras de sa sœur.

— Écoute Olivia, en te disant ça, j'ai enfreint la première Loi de la nuit. Un vampire ne doit *jamais* révéler sa véritable nature à un étranger. Je pourrais avoir de gros problèmes si quelqu'un découvrait ce que j'ai fait — Ivy fit une pause — et toi aussi.

Olivia hocha bravement la tête.

— Je ne dirai rien, dit-elle.

Puis, une expression bizarre s'installa sur son visage.

— Est-ce que tu paniques ? demanda Ivy.

— Si nous sommes jumelles, dit lentement Olivia, est-ce que ça veut dire que je suis une vampire aussi ?

Ivy se posait la même question depuis une semaine. Elle secoua la tête.

— C'est impossible, Olivia. Tu adores l'ail, ta peau est normale, tu as les yeux bleus et, surtout, tu es végétarienne ! Tu es la personne la moins vampirique de la planète.

— Mais tu es quand même certaine que nous sommes jumelles, non ? demanda Olivia.

— Absolument, dit Ivy. Je ne comprends vraiment pas comment c'est possible, mais je sais que je suis une vampire et que tu es un lapin, et qu'il se trouve que nous sommes aussi de vraies jumelles.

— Alors c'est ça, un lapin, murmura Olivia distraitement.

Ivy se rendit compte que cela faisait beaucoup de choses à assimiler d'un seul coup pour Olivia.

— Maintenant que tu connais la vérité, dit-elle, peut-être qu'échanger de place n'est pas une si bonne idée. Tu ne devrais peut-être plus aller aux réunions pour le bal. J'irai, moi. Concentre-toi sur les claques.

Olivia secoua la tête.

— Non, dit-elle fermement, je peux le faire. Je te l'ai promis.

Soudain, ses yeux se fixèrent sur la bouche d'Ivy. Elle pencha légèrement la tête vers le bas et, pendant un instant, Ivy pensa que sa sœur essayait de voir l'intérieur de son nez. Puis, elle se rendit compte qu'elle n'y était pas du tout.

— Est-ce que tu cherches des crocs? demanda Ivy.

Olivia fit un sourire gêné.

— Peut-être.

Ivy leva les yeux au ciel.

— On fait limer nos incisives. Et, pour ton information, ajouta-t-elle, mon visage ne devient jamais affreux et couvert de bosses comme ces faux vampires dans l'émission *Buffy*.

Olivia hocha la tête d'un air pensif.

« Elle a besoin de temps pour s'habituer à tout ça », se dit Ivy.

— Je pense que notre pratique est terminée pour aujourd'hui, dit-elle à voix haute.

— Mais on vient à peine de commencer, protesta Olivia sans enthousiasme.

— Ça va, lui dit Ivy. Vraiment. Je suis prête pour demain. Je connais les mouvements, je peux crier, je peux même sourire. Tu l'as dit toi-même.

Olivia cligna des yeux avec incertitude.

— Es-tu certaine de vouloir encore le faire? demanda Ivy.

Sa sœur sourit.

— As-tu peur que je me mette à pani-
quer devant tous tes amis ?

— Un peu, avoua Ivy.

Olivia la regarda droit dans les yeux.

— Fais-moi confiance, dit-elle. Je peux
gérer ça.

Elles s'étreignirent.

— Après tout, tu sais ce qu'on dit,
continua Olivia. Les liens du sang sont les
plus forts.

Ivy ne put résister.

— Et les plus goûteux aussi ! lança-
t-elle à la blague.

CHAPITRE 10

Lors du cours de mathématiques du lendemain, monsieur Langel, qui se tenait debout devant le tableau, en était à expliquer à la classe comment calculer l'aire d'un rectangle. Il commença à imiter le vampire de l'émission *1, rue Sésame* en souriant :

— Un! Ha ha ha!

Cette fois-ci, toutefois, Olivia ne put lever les yeux au ciel comme elle avait l'habitude de le faire lorsque monsieur Langel se mettait à faire des blagues.

« Se pourrait-il qu'il soit un vampire ? » se demanda-t-elle en le regardant avec suspicion.

Après tout, ses cheveux se terminaient en ce que sa mère appelait un « pic de veuve », c'est-à-dire une pointe en forme de « v » au beau milieu du front, ce qui lui donnait un air vaguement vampirique. Olivia se demanda de quelle couleur étaient véritablement ses yeux. Elle l'imaginait en train de sortir de son cercueil, le matin, encore en pyjama.

Puis, elle se dit que si son drôle de professeur de maths pouvait être un vampire, alors n'importe qui pouvait aussi en être un. Elle se retourna vers un garçon gothique trapu, qui portait une boucle d'oreille et arborait une coiffure en pic, assis à un pupitre près d'elle. Sa main reposait près de son cahier, et il portait une bague en forme de tête de mort grimaçante au petit doigt. À bien y penser, Olivia se rendit compte qu'elle ne l'avait jamais vu ouvrir la bouche. Était-ce parce qu'il n'avait pas fait limer ses dents ?

Elle pouvait se faire à l'idée que sa sœur soit une vampire, parce qu'elle savait qu'Ivy ne ferait jamais quoi que ce soit pour lui faire du mal. Mais les autres vampires de l'école intermédiaire Franklin Grove l'inquiétaient, tout d'un coup. Elle compta furtivement le nombre d'élIvys dans la classe : 21 vampires potentiels. Elle resserra son cardigan autour d'elle.

« Et les meneuses de claques ? » se demanda-t-elle. Personne n'a dit qu'un vampire ne pouvait pas porter de rose. D'ailleurs, s'il y avait une personne qui portait le mal en elle, c'était bien Charlotte Brown.

« Bon, là, je deviens ridicule, se dit Olivia. Charlotte n'est vraiment pas assez cool pour être une vampire ! »

Elle regarda sa feuille vierge et écrivit 10 fois de suite LES VAMPIRES NE MANGENT PAS LES LAPINS. Cela l'aida quelque peu, sauf que, lorsqu'elle eut fini, elle se rendit compte qu'elle avait raté l'explication sur la façon de calculer l'aire d'un trapézoïde.

À la fin du cours, Olivia ne pouvait plus penser à autre chose qu'à la réunion du bal qui se tiendrait après l'école. Tout le monde était gentil avec Ivy, mais qu'arriverait-il s'ils découvraient qu'elle était un imposteur ? Et s'ils découvraient qu'elle connaissait leur secret ? Ivy avait bien dit que ça pourrait leur causer des problèmes…

Olivia se mit à réfléchir à une sorte de protection qu'elle pourrait apporter avec elle, au cas où. Elle avait une bouteille de vernis à ongles presque vide dans son sac. Elle se dit qu'elle pourrait peut-être la vider complètement pour la remplir d'eau bénite. Mais si c'était aussi un mythe ? Et puis, où pourrait-elle trouver de l'eau bénite de toute façon ?

« Est-ce qu'un crayon pourrait servir de pieu ? » se demanda-t-elle.

Elle en avait deux dans son sac.

« De l'ail ! » pensa-t-elle tout d'un coup.

Elle avait au moins la certitude que cette croyance-là n'était pas un mythe.

Olivia espérait que le spécial du midi consisterait en un mets parfumé à l'ail, mais elle n'avait visiblement pas de chance : le menu indiquait que la salade de crabe était à l'honneur aujourd'hui.

Olivia eut alors un déclic : « Je comprends ! Les vampires sont simplement une espèce différente d'êtres humains, tout comme les crabes et les homards sont des espèces différentes de crustacés ! Ils sont quasiment identiques au fond ; ils forment une grande famille de crustacés heureux ! »

À partir de ce moment-là, Olivia se sentit beaucoup mieux.

Elle sourit à tous ceux qu'elle croisa pendant le reste de l'après-midi, jusqu'à ce qu'elle vît Ivy dans son cours de sciences et lui sourit de façon étrange.

— Comment vas-tu ? lui demanda Ivy à voix basse.

— Super bien ! répondit joyeusement Olivia. Tu es comme un homard !

Il était évident qu'Ivy ne comprenait pas, mais elle n'insista pas.

— Te sens-tu capable d'aller à la réunion du bal cet après-midi ? chuchota-t-elle.

— Bien sûr, lui répondit Olivia. Je peux tout à fait gérer les vam…

Les yeux d'Ivy s'écarquillèrent. Olivia toussa et baissa le ton.

— …la réunion, dit-elle finalement.

À la fin du cours, Olivia suivit sa sœur dans les toilettes des filles.

Après avoir échangé leurs vêtements, Ivy se regarda dans le miroir.

— En ce moment, j'aimerais vraiment ne pas avoir de reflet, dit-elle en tirant sur le chandail rose d'Olivia afin de l'éloigner de sa poitrine.

Puis, elle se pencha vers l'avant en tenant un crayon pour les yeux dans une main.

— Te souviens-tu de ce que tu as dit à propos du punch aux cerises à la réunion ?

— Mmh mmh ? dit Olivia.

— Mythe, dit-elle simplement. Les vampires ne mangent pas uniquement de la viande et ne boivent pas seulement du sang. On peut manger des craquelins, des croustilles et n'importe quoi d'autre.

— D'accord, dit Olivia, qui se sentait maintenant un peu moins nerveuse.

— As-tu besoin de savoir autre chose? demanda Ivy.

Un tas de questions lui vinrent à l'esprit, chacune d'elles attendant impatiemment une réponse. Elle en choisit une.

— Est-ce que tous les Gothiques sont des vampires?

— À Franklin Grove? Pas tous, mais la plupart, lui répondit Ivy.

— Et les autres?

— Des lapins, comme toi, répondit Ivy d'un ton neutre.

— Es-tu immortelle? demanda Olivia.

— Celle-là n'est pas facile, dit Ivy en déposant le sac d'Olivia sur le sol. Pas vraiment. Mais je pourrais vivre assez longtemps pour voir le jour où des humains habiteront sur Mars.

— Qu'est-ce qui peut te tuer? voulut savoir Olivia.

— Qu'est-ce qui peut *te* tuer? riposta Ivy. Écoute, Olivia, les vampires sont aussi des êtres humains.

Olivia hocha la tête.

— Je sais. C'est comme si tu étais un homard et que j'étais un crabe, répondit-elle automatiquement. Nous sommes différentes, mais nous sommes tout de même toutes deux des crustacés.

— Non, rétorqua Ivy. Je n'ai pas dit que nous étions des fruits de mer. J'ai dit que nous étions des *personnes*. Avec un cœur, une âme et tout. Nous aimons la vie, la liberté et nous sommes à la recherche du bonheur comme n'importe qui d'autre. Nous n'en parlons même pas vraiment entre nous. C'est comme toi qui es végétarienne ; tu n'en fais pas tout un plat, n'est-ce pas ?

— C'est vrai, acquiesça Olivia tout en se disant que ce n'était effectivement pas la fin du monde. Merci, Ivy, dit Olivia en se frottant le nez. J'imagine que ça prend simplement un peu de temps avant de s'habituer à cette histoire de vampires.

Ivy figea son expression en un regard absent.

— *Ah oui* ? cria-t-elle de sa meilleure voix de meneuse de claques.

Même si elle savait qu'elle n'avait aucune raison d'avoir peur, Olivia ne put empêcher ses cheveux de se dresser sur sa nuque au moment où Sophia et elle arrivèrent à proximité de l'énorme enseigne du Supermarché FG. Sophia parlait du bal d'un ton excité pendant qu'elles marchaient, mais les seules paroles qu'Olivia entendait étaient celles d'Ivy : « Je vais au supermarché du sang comme tous les autres. Il y en a un dans le sous-sol du Supermarché FG. »

Olivia imaginait une énorme et sombre crypte souterraine remplie d'énormes réservoirs de liquide rouge bouillonnant, d'horribles robinets dégoulinants et de serviettes imbibées de sang éparpillées sur le sol. Avant même qu'elle n'ait pu s'en rendre compte, Sophia et elle avaient franchi les portes du magasin, et il était trop tard pour s'enfuir.

En traversant l'allée numéro neuf, l'esprit d'Olivia se remplit de questions.

« Quelle quantité de sang serait nécessaire pour subvenir aux besoins de tous les vampires de Franklin Grove ? Combien de vampires y a-t-il à Franklin Grove ? Des douzaines ? Des centaines ? *Des milliers ?* »

Sophia et elle rencontrèrent le même commis mal rasé au nez percé.

« Ce n'est peut-être pas du jus de canneberges qu'il est en train d'empiler, après tout ! » se dit Olivia.

Son cœur battait la chamade.

« Il doit sûrement être un vampire puisque c'est lui qui ouvre la porte. Et s'il pouvait sentir ma peur ? »

Elle porta la main à son cou et se mit à faire de l'hyperventilation.

Sophia lui lança un regard étrange.

— Tu respires aussi fort qu'un cheval, lui dit-elle.

Elle se retourna ensuite vers le commis et dit :

— Seigle.

Il débarra docilement la porte des employés et Olivia se précipita à l'intérieur en essayant d'éviter tout contact visuel.

L'escalier sombre craquait à chaque pas. Olivia crut entendre des rires, puis des créatures qui couraient dans tous les sens à l'intérieur des murs et, enfin, le bruit sinistre d'un liquide qui s'écoule dans un tuyau. Elle avait peur de trébucher et de tomber dans les marches, mais elle avait encore bien plus peur de mettre sa main sur le mur afin de garder son équilibre. Et si le mur était humide ?

Elles arrivèrent enfin dans l'étroit couloir qui se trouvait au bas de l'escalier. Olivia traînait de plus en plus derrière Sophia. Elle était terrifiée et ses bottes lui semblaient encore plus lourdes que d'habitude. Elle dépassa la première porte mystérieuse ; elle était énorme et faite d'un métal brossé de couleur sombre. Elle comportait aussi une fente par laquelle les personnes qui se trouvaient à l'intérieur pouvaient voir qui demandait à entrer. Le volet qui couvrait la fente était fermé, mais Olivia pouvait entendre une foule de gens parler et rire derrière celui-ci.

« Le supermarché du sang ! se dit Olivia. De l'autre côté de cette porte, des vampires apaisent leur soif en buvant du SANG ! »

Elle tituba vers l'avant ; elle ne se sentait vraiment pas bien. Elle posa ses mains sur ses genoux. Les bas résille noirs d'Ivy lui semblaient être des araignées grouillant sous ses doigts.

— Alors, tu arrives ou quoi ? demanda Sophia, qui se trouvait un peu plus loin devant.

Olivia eut la sensation qu'elle vomirait si elle se relevait tout de suite.

Elle entendit les pas de Sophia se rapprocher.

— Détends-toi, Ivy, dit-elle. Je sais que le fait d'être responsable des décorations te rend nerveuse, mais c'est juste une réunion. En plus, tu fais déjà du très bon travail.

Puis, elle saisit la main d'Olivia et l'entraîna jusqu'à la porte qui se trouvait au bout du couloir.

Les vampires attendaient à l'intérieur : Véra et sa surprenante mèche blanche, Raymond et sa tête diaboliquement chauve, et Agnès, qui était aussi maigre et dont les yeux étaient aussi creux qu'une ancienne amante de Comte Vira. Les Bêtes avaient l'air plus sanguinaires et bestiales que jamais.

Mélissa, avec ses manières officieuses et ses lunettes incroyablement épaisses, offrit du punch à Olivia, qui refusa.

— Biscuit avoine et raisin ? demanda Mélissa.

Olivia secoua la tête comme un zombie.

Tous les vampires prirent place autour de l'autel sacrificiel qu'était la table.

— Puisse le secret être voilé d'obscurité, dit Mélissa solennellement.

— Et ne jamais voir la lumière du jour, répondit le groupe.

Olivia se laissa tomber dans son siège.

— Alors, commença Mélissa en feuilletant ses notes, les décorations sont le premier point à l'ordre du jour. Ivy ?

Olivia était incapable de parler. Tous les vampires la fixaient de leurs yeux perçants, habilement dissimulés derrière des verres de contact.

— Ivy ? répéta Mélissa.

Sophia la pinça très fort, ce qui la fit sursauter. Elle plongea la main dans le sac à bandoulière en velours noir d'Ivy et en sortit la chemise blanche intitulée « Bal de la Toussaint — Décorations ».

Les feuilles bruissèrent dans les mains tremblantes d'Olivia.

— Prenez-en une et faites passer, murmura-t-elle.

Olivia fit sa présentation avec hésitation. Elle avait organisé ses idées en deux catégories : les « grosses choses », qui comprenaient, entre autres, les centres de table — de fausses pierres tombales, sur lesquelles seraient inscrits les noms de vampires célèbres, entourées de bouquets de lys blancs — et les « petites choses », qui comprenaient des articles variés, tels que des araignées, des chauves-souris en caoutchouc, des torches, etc.

Malgré son brouillard intérieur, Olivia put voir que le comité, à sa façon, était satisfait de ses trouvailles. Presque malgré elle, elle commença à se sentir mieux.

«Oh mon Dieu! pensa-t-elle nerveusement. Je vais peut-être réussir à passer au travers de cette réunion sans perdre la tête, me faire mordre par un vampire ni même balancer un pieu dans le cœur de quelqu'un!»

Elle avait gardé sa meilleure idée pour la fin : un paquet de vieilles affiches de films de vampires qu'elle avait trouvées sur eBay.

— C'est mortel! déclara Agnès.

Tout le monde hocha la tête, et Olivia sourit malgré elle.

L'une des Bêtes se racla la gorge.

— J'ai une idée, dit-il tandis qu'un sourire diabolique se fixait sur son visage.

Le pouls d'Olivia accéléra.

Il leva un long doigt pâle.

— Une décoration qui est abondante et pas chère du tout.

— On t'écoute, lui répondit Mélissa, à contrecœur.

— Quelque chose d'encore mieux que des affiches, poursuivit-il en grimaçant à l'intention d'Olivia. Pourquoi ne pas récupérer quelques lapins morts à la morgue et tapisser les murs de leurs corps ?

Les autres Bêtes s'esclaffèrent.

L'estomac d'Olivia se noua.

— Vous êtes dégoûtants ! fulmina Mélissa.

Raymond chiffonna sa liste et la lança sur le garçon qui avait parlé.

« Je dois absolument sortir d'ici ! » se dit Olivia.

Elle bondit de sa chaise, lâcha un « Désolée » à Sophia et se précipita hors de la salle.

Elle courut le long de l'étroit corridor. Elle avait la sensation que les murs se refermaient autour d'elle. Elle trébucha dans les marches et s'écorcha le genou, mais elle se releva aussitôt et continua à courir.

Elle dépassa les portes du Supermarché FG et ralentit enfin. Elle s'adossa à l'extérieur du bâtiment et prit de grandes bouffées d'air frais.

Quelques secondes plus tard, Olivia entendit quelqu'un arriver derrière elle. Elle se retourna rapidement, prête à se battre, mais ce n'était que Sophia.

— Qu'est-ce qui t'arrive ? lui demanda l'amie d'Ivy d'un air perplexe.

Olivia ne put répondre ; elle respirait trop fort.

Sophia secoua la tête.

— Tu t'es comportée de façon étrange tout l'après-midi, dit-elle. Qu'Ivy Vega ne soit pas dans son élément lors d'un événement social passe encore, mais ma meilleure amie ne s'est *jamais*, de toute sa vie, enfuie d'un quelconque endroit.

Elle s'approcha et scruta les yeux d'Olivia, qui détourna le regard.

— Qu'est-ce qui se passe ? demanda Sophia.

— Rien ! hoqueta-t-elle.

— Qu'est-ce qui se passe ? répéta Sophia avec force.

— Tout est totalement parfait ! cria Olivia hystériquement.

Sophia plissa les yeux.

« Ah non, j'ai dit "totalement" », songea Olivia.

— Est-ce que tu viens de dire « totalement » ? questionna Sophia.

Olivia s'assit sur le bord du trottoir. Il était évident que Sophia s'était aperçue que quelque chose de bizarre était en train de se passer; elle allait devoir tout lui avouer.

— Je ne suis pas Ivy, dit-elle d'un air abattu.

— Quoi? dit Sophia.

— Je suis Olivia Abbott.

Sophia saisit le bras d'Olivia.

— Qu'as-tu fait de ma meilleure amie? demanda-t-elle anxieusement.

— Rien! lui répondit sèchement Olivia en se dégageant de son emprise. Elle est à l'entraînement de meneuses de claques, avoua-t-elle.

Pendant un moment, Sophia resta muette, puis elle s'assit à côté d'Olivia.

— Je t'écoute, dit-elle.

Relater toute l'histoire prit un bon moment à Olivia : la découverte du fait qu'elles étaient jumelles, l'échange d'identité, Charlotte Brown, le rendez-vous d'Ivy avec Brendan, le bal. Au beau milieu du récit, Sophia avait été assez gentille pour retourner à l'intérieur lui acheter des comprimés d'aspirine et un Coke diète.

Une fois remise du choc initial relié à la découverte de la jumelle d'Ivy, Sophia eut l'air de bien prendre la nouvelle; il faut dire qu'Olivia avait gardé la partie la plus difficile pour la fin.

— Et puis, hier, dit lentement Olivia, Ivy m'a révélé quel type de personne elle était réellement.

— Qu'est-ce que tu veux dire? demanda Sophia d'un ton innocent.

— Le type de personnes que vous êtes *tous*.

Sophia réfléchit un instant.

— Des Gothiques?

— Non, ce que vous êtes *vraiment*, dit Olivia en lui jetant un regard qui en disait long.

— Oh! fit Sophia en ouvrant les yeux très grands. Elle t'a dit ça?

— Oui, répondit Olivia d'un air coupable. Je n'étais pas censée le dire à qui que ce soit. Elle m'a dit que nous pourrions avoir de gros problèmes toutes les deux.

— Elle n'aurait jamais dû te le dire, répliqua Sophia d'un ton ferme.

— Elle n'avait pas le choix, répondit Olivia en fermant les yeux et en poussant un grand soupir. Tout ça, c'est de ma faute.

Elle pensait qu'elle ne pourrait s'empêcher de pleurer, mais elle sentit soudainement la main de Sophia se poser sur son épaule.

— Ne t'en fais pas, lui dit-elle. Je ne le dirai à personne.

— Vraiment ? dit Olivia en ouvrant les yeux.

— Vraiment, répondit Sophia d'un ton sincère. Ivy est ma meilleure amie.

— Et tu n'es pas fâchée ? demanda Olivia.

— Un peu, avoua Sophia en haussant les épaules. Ivy aurait pu me dire qu'elle avait retrouvé sa jumelle disparue ; j'ai l'impression d'avoir manqué la meilleure partie. Mais au moins, ça explique pourquoi Ivy était soudainement si douée dans l'organisation de fêtes ! continua-t-elle en scrutant le visage d'Olivia. Tu m'as vraiment dupée. Tu sais, je n'avais remarqué aucune ressemblance entre Ivy et toi.

Olivia sourit.

— Ce Beauté pâle fait vraiment des miracles.

Sophia rit et se leva.

— Viens, dit-elle.

— Où allons-nous ? demanda Olivia en se levant.

— À l'entraînement de claques, répondit Sophia. Si Ivy est en train de sauter comme un lapin, je dois absolument voir ça !

CHAPITRE 11

Ivy exécuta à la perfection le mouvement final de la routine, cria « Allez ! » et leva les bras dans les airs. Elle pouvait entendre Charlotte haleter à ses côtés.

L'expression sur le visage de cette dernière lorsque mademoiselle Barnett avait décidé de placer Ivy dans la première rangée, au centre de la formation, c'est-à-dire à la place de la capitaine, resterait gravée à jamais dans sa mémoire. C'était plus qu'il n'en fallait pour fixer un sourire de 150 watts sur le visage d'Ivy pendant tout le reste de la pratique. Elle redoubla d'efforts.

— C'est bon, les filles, cria mademoiselle Barnett.

Ivy avait mordu à pleines dents dans chacune des routines ; Olivia serait si fière.

Les petits amis de quelques-unes des meneuses de claques applaudirent dans les estrades.

« J'aurais aimé que Brendan soit ici, lui aussi », se dit Ivy.

Puis elle se souvint, avec un pincement au cœur, qu'il ne le saurait jamais.

— Un petit oiseau ! cria mademoiselle Barnett.

Les meneuses de claques entamèrent alors une autre routine.

Ivy se relevait d'un grand écart lorsqu'elle vit, du coin de l'œil, les portes du gymnase s'ouvrir. Olivia entra... suivie de Sophia.

Une foule de questions se bousculèrent alors dans son esprit. Est-ce que Sophia avait tout découvert ? Est-ce que quelqu'un d'autre était au courant ? Est-ce qu'ils allaient devoir quitter la ville ? Et Brendan dans tout ça ? Est-ce que Sophia était fâchée ?

Ivy se rendit soudainement compte qu'elle était censée tourner. Elle faisait de son mieux pour accélérer et rattraper les autres filles lorsque Charlotte Brown la percuta durement.

— Qu'est-ce que tu fais ? hurla Charlotte, coupant court à la routine.

Tu es censée être là-bas! C'est quoi, ton problème?

— Charlotte! cria mademoiselle Barnett.

Le lapin Energizer se tut.

— Si tu veux faire partie de cette équipe, je m'attends à te voir travailler en équipe! la réprimanda mademoiselle Barnett. Les filles, je m'attends à ce que vous vous adressiez à vos coéquipières de façon respectueuse!

— Oui, Mademoiselle Barnett, dit Charlotte en fixant le sol.

— Et la prochaine fois, Charlotte, poursuivit mademoiselle Barnett en tapotant sa tablette, essaie de porter plus attention aux autres filles.

On aurait dit que les yeux de Charlotte allaient lui sortir de la tête.

— Mais c'était de *sa* faute! protesta-t-elle en pointant Ivy du doigt.

— Je ne suis pas intéressée à lancer une chasse aux coupables, répondit froidement mademoiselle Barnett.

Puis, elle leva un sourcil et observa attentivement le reste de l'équipe.

— J'espère que vous aurez toutes appris quelque chose aujourd'hui, et je ne parle pas seulement de frapper dans vos mains ni de faire des culbutes. Bon, on se revoit vendredi prochain, conclut-elle en frappant deux fois dans ses mains. Vous pouvez partir.

Charlotte quitta d'un pas rapide, l'air grave, et Ivy eut tout le loisir de se précipiter à l'arrière du gymnase.

Sophia avait l'air fâchée.

— Je ne peux pas croire…, commença-t-elle en tapant du pied, — ce qui fit faire un bond au cœur d'Ivy — que je n'ai pu voir que la moitié d'une routine !

Un large sourire illumina le visage de Sophia.

— Au moins, j'ai eu le temps de prendre quelques photos, chantonna-t-elle.

Ivy secoua la tête.

— C'est pas vrai.

— Oh que si, répliqua son amie.

Ivy entraîna Sophia et Olivia à l'extérieur du gymnase, directement dans le couloir menant vers les toilettes.

— Que s'est-il passé ? demanda Ivy aussitôt qu'elles furent à l'abri.

— Je suis désolée, Ivy ! lâcha Olivia.

Sophia fit un pas en avant.

— Olivia n'est pas celle qui devrait être désolée, dit-elle.

Olivia regarda Sophia, puis Ivy, puis de nouveau Sophia, et disparut dans un cabinet pour se changer.

Le sourire taquin de Sophia avait disparu.

— C'est toi qui devrais être désolée, dit-elle à Ivy.

Elle secoua la tête et sa lèvre inférieure se mit à trembler.

— Pourquoi ne m'as-tu pas parlé d'Olivia ? poursuivit-elle.

— Je ne savais pas comment, chuchota Ivy.

— Je suis ta *meilleure amie*, dit Sophia, les yeux remplis de larmes. Tu pensais que j'allais être jalouse ?

— Non, répondit Ivy d'une voix chevrotante. J'attendais juste le bon moment. Et puis, une fois que j'ai eu tout dit à Olivia, je ne pensais plus être en mesure de parler d'elle à qui que ce soit. Même à toi.

Sophia leva les yeux au ciel.

— Tu n'es pas le premier vampire de l'histoire à violer la Loi, Ivy.

— Peut-être, mais je parie que je suis la seule à Franklin Grove, dit tristement Ivy.

Sophia soupira et essuya sa joue, puis elle secoua la tête.

— Non, répondit-elle en prenant une grande respiration. Je l'ai dit à ce lapin dont je me croyais amoureuse il y a deux ans.

— Billy Coddins ?

Sophia hocha la tête.

— Il ne m'a pas crue. Il a dû me prendre pour une folle, parce qu'il m'a larguée le lendemain.

Elle sourit à travers ses larmes.

Ivy était estomaquée.

— Tu ne m'avais jamais raconté ça !

Sophia prit un morceau d'essuie-mains et se moucha.

— Il faut croire que nous avions toutes les deux nos petits secrets.

Ivy serra Sophia très fort dans ses bras.

— Meilleures amies pour la vie, chuchota-t-elle dans son oreille.

— Meilleures amies pour la vie, lui chuchota Sophia.

— Désolée de vous interrompre, fit timidement Olivia, mais je suis en train de geler ici !

Sa main sortait de dessous la porte de son cabinet, tenant les vêtements d'Ivy.

Ivy et Sophia s'esclaffèrent toutes deux.

Lorsqu'Ivy et Olivia furent revenues à la normale, Sophia dit :

— Eh bien, voir Ivy sourire et sautiller comme un lapin aura vraiment été le moment fort de mon passage à l'école secondaire. C'était encore mieux qu'en sixième année ! Merci d'avoir rendu ça possible, Olivia.

Olivia fit un grand sourire.

— De rien, répondit-elle en riant.

Sophia se tourna vers Ivy.

— Que dirais-tu de faire faire une visite guidée de Franklin Grove digne de ce nom à notre Gothique honoraire ?

— C'est une idée mortelle, accorda Ivy.

Alors qu'elles se promenaient toutes trois dans le centre-ville, Ivy indiquait à sa sœur toutes les entreprises qui étaient favorables aux vampires.

— Le garage Goule, le dépanneur Chez Broyeur, le nettoyeur Marque rouge…

— N'oublie pas le Bar à jus, interrompit Sophia.

— Oui, ils sont vraiment sérieux quand ils parlent d'oranges sanguines, consentit Ivy. La pharmacie Transyl…, continua-t-elle

— Attends, dit Olivia. C'est impossible, ma mère y va.

— Tout n'est pas noir ou blanc, Olivia, lui dit Sophia. Beaucoup de magasins servent des lapins à l'avant tout en ayant un endroit réservé aux vampires à l'arrière. Notre communauté est pleinement intégrée. Elle l'est depuis plus de 100 ans. Nous sommes vos médecins, vos avocats…

— Vos vedettes de cinéma, ajouta Ivy.

— Qui? s'écria Olivia. Quelles vedettes de cinéma?

Sophia se retourna abruptement.

— Nous pourrions te le dire, mais nous serions dans l'obligation de te mordre, dit-elle en souriant d'un air taquin.

Olivia enjamba une fissure dans le trottoir.

— Alors, que peuvent faire les vampires que les autres personnes ne peuvent pas? demanda-t-elle.

— Ah, laisse-moi te faire une liste, dit Ivy dramatiquement. Force surhumaine.

— Agilité supérieure, dit Sophia avec un accent britannique.

— Sens de l'ouïe très développé, ajouta Ivy.

Sophia fit un geste théâtral de ses bras.

— Beauté classique.

Les deux filles firent battre leurs cils. Ivy pointa ensuite en direction du côté opposé de la place principale.

— Tu vois le gars assis, là-bas, sur les marches du bureau de poste ?

— Mmh mmh, fit Olivia en hochant la tête.

— Il est assis là depuis près de 150 ans.

— Tu veux rire ! s'écria Olivia.

— Tu as raison, elle blague, mais il est vraiment très vieux, dit Sophia en riant.

Ivy était surprise de voir à quel point il était amusant d'initier sa sœur au monde des vampires. Elle n'avait jamais eu la chance d'expliquer ces choses à qui que ce soit auparavant.

— Alors, demanda Olivia, c'est quoi l'histoire du vieillissement ? Êtes-vous immortels ou non ?

Sophia regarda Ivy.

— Réponds, toi. Tu es plus jeune.

— Seulement de quatre mois, protesta Ivy.

Elle se retourna vers Olivia.

— Tu te souviens de la façon dont ces égratignures sur mon bras se sont guéries la semaine dernière ? C'est ça, le secret.

On appelle ça l'« AGR » : auto-guérison rapide.

Olivia hocha la tête.

— Nous vieillissons au même rythme que les humains, jusqu'à l'âge adulte…, continua Ivy.

— Jusqu'à notre entrée à l'université, compléta Sophia en faisant un clin d'œil.

— Ensuite, nous vieillissons très lentement.

— Mon père a 212 ans, dit Sophia en se balançant joyeusement autour d'un réverbère.

Olivia eut l'air impressionnée.

— Est-ce que vous pouvez mourir ? demanda-t-elle.

— L'« AGR » anéantit la plupart des blessures, expliqua Ivy. Mais si le processus de guérison est saboté, par exemple si quelqu'un nous laisse au soleil pendant des heures, enchaînés à une immense pierre et sans écran solaire, ou si quelqu'un nous coupe la tête et la transporte dans une ville différente de celle où se trouve notre corps…

— Ouache ! dit Sophia.

— Disons que ce serait assez fatal, conclut Ivy.

— Cool, dit Olivia.

— Ça dépend de la ville où notre tête se trouve, blagua Sophia.

— Alors, comment j'en deviens un ? demanda Olivia.

Pendant un moment, Ivy ne sut pas si sa sœur était sérieuse, et elle attendit un peu avant de lui répondre.

— Ce n'est pas facile, dit-elle enfin.

Elle ressentit une pointe de déception ; depuis qu'elle avait rencontré Olivia, elle s'efforçait de ne pas penser au fait qu'un jour, sa sœur ne serait plus avec elle.

— Il faut être né vampire, expliqua Sophia. C'est pourquoi vous êtes un mystère absolu toutes les deux.

— Mais si un humain se faisait mordre ? demanda Olivia.

— Ça n'arrive plus, dit Ivy. Du moins, plus maintenant.

— C'est très « siècle dernier », renchérit Sophia.

— Mais si ça arrivait ? insista Olivia.

— Il mourrait probablement, admit Ivy. Mais, dans le cas contraire, continua-t-elle, il deviendrait l'un des nôtres.

★ ★

L'enseigne du Supermarché FG apparut au loin et Olivia sourit. Elle allait rejoindre Sophia, dans le stationnement, pour assister à la dernière réunion d'organisation du bal ; elle avait, sur son épaule, un fourre-tout en faux cuir noir rempli à craquer de décorations vraiment géniales qu'elle voulait montrer au comité.

Olivia avait peine à croire la vitesse à laquelle la dernière semaine s'était écoulée. Entre ses rencontres avec Ivy tous les après-midi, ses travaux scolaires et son implication dans le comité d'organisation, elle n'avait pas eu un seul moment de repos.

Elle avait dit à ses parents qu'elle était responsable des décorations pour un bal à l'école, ce qui était vrai, du moins, en partie. Sa mère avait été immédiatement emballée à l'idée de lui acheter une robe pour l'occasion, jusqu'à ce qu'elle lui explique, en toute hâte, qu'il s'agissait d'une soirée réservée aux étudiants plus âgés, et qu'elle ne pourrait donc pas y participer.

Tous les soirs, la mère d'Olivia, qui avait elle-même été élue reine du bal au secondaire, avait passé des heures en ligne avec sa fille à chercher et à commander des décorations pour le bal, tout en s'assurant de respecter le budget établi. Quand l'heure du coucher arrivait enfin, Olivia ne pouvait s'empêcher de repenser au monde qu'elle venait de découvrir, ce qui la gardait éveillée un bon moment. Comte Vira lui semblait soudainement fade en comparaison de tout ce qu'elle avait appris.

Sophia l'attendait devant les portes du Supermarché FG. Olivia la prit par le bras et elles entrèrent ensemble. En traversant l'allée numéro neuf, Olivia demanda si elle pouvait dire le mot de passe aujourd'hui.

— Absolument pas, lui répondit Sophia en lui lançant un regard très sérieux. Si un exclu le prononce, il prendra feu !

Olivia eut le souffle coupé.

— C'est une blague, lui dit Sophia en riant. Vas-y.

Tous les membres du comité adorèrent les décorations d'Olivia, particulièrement les chauves-souris, qui semblaient on ne peut plus réelles et qui n'avaient coûté que 30 ¢ chacune.

— Où les as-tu trouvées ? demanda Véra d'une voix stupéfaite en retournant l'une d'elles dans ses mains pâles. Elles ont l'air si vraies.

— Sur un site Web qui approvisionne les musées et les zoos, répondit Olivia. Vente de liquidation.

À un moment donné, les Bêtes essayèrent d'interrompre la discussion avec une autre de leurs idées macabres, mais Olivia les arrêta en leur faisant le fameux regard de la mort d'Ivy; ils ne dirent plus un mot.

Lorsqu'elle eut fini de montrer tout ce qu'elle avait apporté, le comité l'applaudit. Olivia ne savait pas que les Gothiques pouvaient applaudir spontanément et démontrer un réel enthousiasme; elle était au comble du ravissement.

— Excellent travail, Ivy, dit Mélissa. J'ai vraiment hâte à vendredi prochain.

Sophia donna un petit coup à Olivia, sous la table, en guise d'approbation.

Lorsque la réunion prit fin, Olivia et Sophia quittèrent rapidement les lieux. Olivia se cacha derrière le Supermarché FG et remit ses vêtements habituels pendant que Sophia montait la garde; elle n'avait que 15 minutes avant de rejoindre Camilla au centre commercial.

Elle entassa les vêtements d'Ivy dans le sac de décorations et le donna à Sophia, qui lui dit:

— Tu commences à être pas mal bonne à ce petit jeu.

— N'est-ce pas? répondit Olivia.

Une demi-heure plus tard, lorsque son téléphone cellulaire sonna, Olivia se trouvait à la librairie avec Camilla.

— Salut Ivy! répondit gaiement Olivia en se dirigeant vers le corridor achalandé du centre commercial pour parler. Quoi de neuf? Comment s'est passée la pratique?

— C'était terrible! croassa Ivy.

Olivia se raidit.

— Que s'est-il passé?

— Ça ne s'est pas du tout déroulé comme la semaine dernière! dit Ivy, visiblement bouleversée. J'avais un peu de retard, et le temps que je finisse de me préparer, je n'arrivais plus à retrouver tes pompons. J'ai regardé partout, Olivia. Finalement, j'ai dû me rendre à la pratique sans eux.

— Oh non, grimaça Olivia.

«Une meneuse de claques ne perd jamais ses pompons!» se dit-elle.

— C'était pire que si j'avais mordu quelqu'un. Mademoiselle Barnett m'a fait la morale sur l'engagement et la responsabilité, continua Ivy.

Olivia frissonna.

— Et les choses n'ont fait qu'empirer à partir de là, dit Ivy d'un ton misérable. J'étais tellement stressée que j'ai même oublié quelques paroles.

Olivia ferma les yeux.

— Je suis désolée, Olivia, dit Ivy d'une voix chevrotante. Mademoiselle Barnett avait l'air si déçue. Ç'aurait sans doute été une perte totale si ce n'était de Camilla.

— Camilla ? dit Olivia en rouvrant brusquement les yeux et en les levant vers la fenêtre de la librairie, où elle aperçut les boucles dorées de son amie qui dépassaient de la section science-fiction. Je suis au centre commercial avec elle en ce moment ! chuchota-t-elle.

— Ah, je me demandais ce qu'elle voulait dire quand elle m'a dit qu'on se verrait à 17 h, répondit Ivy.

— Qu'est-ce qu'elle faisait à la pratique ? demanda Olivia.

— Elle était peut-être venue te voir, répondit Ivy. En tout cas, elle a vu des pompons par terre, dans le corridor, et elle s'est précipitée pour me, enfin, te les donner.

— Je ferais mieux de la remercier, alors ! dit Olivia.

À ce moment précis, Camilla sourit et lui envoya la main. Olivia, gênée, fit de même.

— Au moins, ça met fin à ma carrière de meneuse de claques. Je ne referai plus *jamais* ça, affirma Ivy sombrement.

— Tu en es sûre ? la taquina Olivia en s'éloignant de la vitrine. Il n'est pas trop tard pour t'inscrire aux épreuves de sélection. Tu pourrais avoir tes propres pompons !

— Non merci, dit Ivy d'un ton horrifié.

— J'espère juste que tout ira bien samedi, soupira Olivia.

— Ne t'en fais pas, Olivia. Tu feras partie de l'équipe, répondit Ivy avec confiance. Je le sais. Et même si j'ai bousillé la pratique, je parie que tu seras capitaine.

— Je n'en suis pas si sûre, dit Olivia. Mais je ferai de mon mieux...

Elle s'arrêta net, ne pouvant croire ce qu'elle venait de voir : Charlotte Brown, vêtue d'un atroce haut en tube rose, se dirigeait vers elle, accompagnée d'Allison et de Katie !

— Attends une minute, murmura Olivia dans le téléphone.

Charlotte se présenta devant elle, entourée de ses deux acolytes.

— Comme c'était dommage pour les pompons d'Olivia aujourd'hui, railla-t-elle comme si Olivia était invisible. Katie, Allison, quelle est la deuxième chose la plus importante à retenir dans les claques ?

— Ne jamais toucher les pompons d'une autre meneuse de claques ! répondirent-elles à l'unisson.

Charlotte porta la main à sa bouche en signe d'horreur.

— Oups ! dit-elle en haussant les épaules. J'imagine que certaines règles sont faites pour être contournées.

Les trois filles ricanèrent comme des idiotes et partirent.

Olivia plissa les yeux en les regardant s'éloigner.

— Ivy, dit-elle dans le téléphone, je crois savoir qui a pris mes pompons.

CHAPITRE 12

Après l'école, le jour du bal de la Toussaint, Ivy, vêtue de son kimono noir, était assise dans les marches, sous de la fenêtre du sous-sol de sa chambre, en attendant Olivia. Elle avait à peine dormi la nuit dernière. Pendant qu'elle était occupée à pratiquer ses routines avec sa sœur tous les jours, elle n'avait pas eu le temps de penser au bal. Mais, depuis sa dernière interprétation dans son rôle de meneuse de claques, elle avait été envahie d'un sentiment de terreur.

Elle essayait de remettre tous les faits en ordre dans sa tête.

« Le bal de la Toussaint est ce soir. Il a lieu chez moi. Brendan Daniels est mon cavalier. Je suis responsable des décorations. »

Chaque fois, pourtant, elle oubliait où elle en était et devait tout recommencer du début.

Enfin, elle abandonna. Elle se rendit à l'évidence qu'elle ne pouvait affronter la réalité ; c'était comme essayer de regarder le soleil directement. Au moins, Olivia s'occupait de l'installation des décorations en cachette.

Soudain, elle entendit frapper contre la vitre. Ivy déplaça le rideau et ouvrit la fenêtre.

— Salut, salut ! dit Olivia en déposant une énorme boîte de carton dans les mains d'Ivy.

— Qu'est-ce que c'est ? demanda-t-elle.

— Qu'est-ce que tu penses ? répondit Olivia. Plus de décorations.

Olivia grimpa sur le rebord de la fenêtre pour se glisser à l'intérieur de la maison, fit entrer une autre gigantesque boîte et referma la fenêtre derrière elle. Elles laissèrent tomber les boîtes sur le palier, puis Ivy descendit les escaliers avec sa sœur.

— Tu n'as pas l'air très bien, dit Olivia.

— Merci, répondit Ivy d'un ton sarcastique. Je devrais peut-être appeler pour dire que je suis malade.

— Tu n'oserais pas faire ça ! s'exclama Olivia.

— Pourquoi ai-je accepté ? grommela Ivy.

Elle lança une bombe aérosol de Beauté pâle à Olivia.

Olivia secoua la bombe.

— On devrait vraiment commencer à acheter ce produit en gros, dit-elle d'un air pensif.

— Bien sûr, répondit sombrement Ivy. Mon père est impatient de commencer, dit-elle tandis qu'Olivia se vaporisait les bras. On dirait bien que c'est la chose la plus positive qui lui soit jamais arrivée, finit-elle sur un ton qui se voulait plein de ressentiment.

Olivia enfila un haut noir.

— Je sais, répondit-elle distraitement. Je suis tellement excitée !

Ivy poussa un grand soupir.

« J'aimerais vraiment ne pas avoir à aller à ce bal », se dit-elle.

Olivia leva la tête, comme si elle avait entendu ses pensées.

— Ivy, dans quelques heures, tu seras en train de danser avec le garçon de tes rêves. Comprends-tu ? C'est à ton tour de briller ce soir !

— Je ne veux pas briller, bouda Ivy.

— Trop tard, lui dit Olivia. C'est déjà fait.

Ivy secoua la tête.

— Je n'ai rien fait de tout ça.

— Et je ne suis pas allée aux pratiques de meneuses de claques, riposta Olivia d'un ton neutre. Ivy, nous formons une équipe. Nous avons fait ça ensemble. Ça ne rend pas nos accomplissements moins bons, poursuivit-elle en souriant. En fait, ça les rend encore meilleurs.

Ivy hocha la tête et tenta de sourire.

— La seule chose que tu auras à faire, ce soir, c'est t'amuser, continua Olivia. Je m'occuperai du reste.

Ivy inspira profondément. Elle savait que sa sœur avait raison.

« Le bal de la Toussaint est ce soir. Il a lieu chez moi. Brendan Daniels est mon cavalier. Je suis responsable des décorations. »

Ivy cligna des yeux.

— Veux-tu voir ma robe ? demanda-t-elle, hésitante.

Olivia sourit.

— Évidemment !

Même en s'étirant au maximum, Olivia ne pouvait atteindre le coin de l'arche en pierre, où elle désirait accrocher la dernière toile d'araignée.

— Permettez-moi, dit le père d'Ivy du bas de l'échelle.

Il prit un second escabeau et le mit en place juste à côté du sien.

Olivia décorait la salle de bal de l'étage supérieur depuis quelques heures déjà avec monsieur Vega, mais elle avait encore de la difficulté à en croire ses yeux : il semblait sorti tout droit d'un film classique de vampires, en noir et blanc, mais plutôt du genre histoire d'amour qu'histoire d'horreur. Avec sa voix incroyablement suave, on aurait dit Antonio Banderas, en plus pâle.

Il portait des jeans noirs et une chemise blanche sous un veston foncé fait sur mesure. Olivia pensa à son propre père et à ses chemises à manches courtes, en polyester, ornées de carreaux, et, pendant un moment, elle en fut gênée.

— Merci, dit-elle tandis que monsieur Vega attrapait le coin de la toile avec ses doigts.

Il l'accrocha avec élégance, puis se retourna et s'appuya contre le barreau supérieur de son échelle.

— Je crois qu'il est maintenant temps d'admirer ton travail.

Olivia regarda par-dessus son épaule et contempla l'énorme salle de bal en dessous d'elle. Les affiches de films classiques posées sur les murs de pierre étaient illuminées par des projecteurs miniatures. Des tables rondes et noires étaient installées un peu partout dans la salle, et chacune d'elles était ornée d'une pierre tombale, ressortant de façon suggestive. Des chauves-souris pendaient du plafond à différentes hauteurs. Dans chaque coin de la salle se trouvait un énorme cercueil luxueusement tapissé de satin mauve foncé, lequel dépassait légèrement sur les côtés — une touche spéciale de dernière minute de monsieur Vega. Olivia avait rempli chacun d'eux de babioles de fête, telles que des crocs en plastique, des tatouages temporaires en forme de morsures, et des chauves-souris supplémentaires.

Olivia avait envie de pousser un cri ; tout était spectaculaire !

— C'est le genre de sourire que j'ai rarement vu sur ton visage, évoqua monsieur Vega.

Olivia tenta de se contrôler, mais elle en fut incapable.

— Alors, ma fille, tu ne m'as rien dit à propos de ton rendez-vous, dit-il.

— Tu veux dire Brendan? demanda nerveusement Olivia en descendant de l'échelle.

— Ah, Brendan. Je me demandais bien quand tu allais enfin me dévoiler son identité, déclara monsieur Vega.

« Oups », pensa Olivia.

— Dis-moi, comment est-il? continua monsieur Vega.

Olivia ne savait pas quoi répondre.

— Dans un monde qui t'est si pleinement ouvert, déclara-t-il, tu ne dois pas toujours garder le contenu de ton cœur si secret.

— Il est vraiment mi… — elle s'arrêta — très beau, finit-elle par dire.

— J'en suis certain.

— Et… romantique, ajouta Olivia.

— Ah oui? dit monsieur Vega, les yeux pétillants.

Olivia se souvint alors d'une chose que sa sœur lui avait dite.

— La façon dont il m'a invitée au bal était vraiment… adorable.

Le père d'Ivy sourit.

— Je suis content pour toi, Ivy.

Olivia se sentit soudainement étrange d'avoir parlé de Brendan de cette façon ; il n'était pas *son* petit ami après tout. Elle jeta un coup d'œil à l'énorme horloge qui se trouvait au-dessus de l'entrée de la salle de bal.

— Je devrais aller me préparer, dit-elle.

Monsieur Vega hocha la tête.

— Oui, bien sûr.

Une fois à l'extérieur de la salle de bal, Olivia descendit l'énorme escalier jusqu'au premier étage. Elle passait devant les portes principales, en route vers le sous-sol, lorsqu'elle fut figée par le son retentissant d'un grand orgue. Elle s'apprêtait à poursuivre son chemin lorsque le son retentit de nouveau.

— Ivy ? appela monsieur Vega d'en haut. Peux-tu répondre à la porte s'il te plaît ?

Olivia hésita, prit une grande inspiration et ouvrit la porte d'entrée.

Les Bêtes se trouvaient devant elle, tout sourire, comme des idiots. Olivia remarqua que leurs costumes mal ajustés ne les rendaient pas moins moches, bien au contraire.

— Hé, Vega, dit l'un d'eux.

— Qu'est-ce que vous faites ici? demanda Olivia. Le bal commence seulement dans une heure.

— Nous avons, euh, emmené un invité, répliqua l'un d'eux.

Ils firent alors passer devant eux un garçon qu'Olivia n'avait pas remarqué au départ : Toby Decker.

Olivia le connaissait, car il était dans son cours de mathématiques. Il portait un habit gris avec un nœud papillon bleu à pois, et ses cheveux blonds étaient peignés vers l'arrière.

— Salut, Ivy. Merci beaucoup de m'avoir invité, dit-il avec une politesse formelle. Ces gars ont dit qu'il y aurait du punch en abondance et que ça allait être toute une soirée, continua-t-il en faisant un geste vers les Bêtes.

Olivia plissa les yeux et se tourna vers la Bête la plus proche.

— Est-ce que je peux te parler un instant?

Le garçon haussa les épaules et Olivia l'entraîna dans le couloir. Lorsqu'ils furent assez pour ne pas être entendus des autres, elle se retourna rapidement vers lui.

— Qu'est-ce que vous faites ? demanda-t-elle.

— On a apporté notre décoration — notre humain ! dit le garçon en sautillant d'excitation. Tu sais, comme un hors-d'œuvre, continua-t-il en s'esclaffant. Ce sera notre collation !

Olivia savait désormais qu'il n'y avait qu'une façon de contrôler le comportement des Bêtes. Elle se dirigea d'un pas rapide jusqu'à la porte d'entrée, le garçon sur ses talons, et elle se plaça directement devant Toby Decker.

— Je suis désolée, Toby, mais je crois que ces garçons t'ont menti. Personne ne peut venir sans invitation ce soir, et nous avons déjà atteint notre capacité maximale.

— Mais…, protestèrent quelques-unes des Bêtes et Toby.

— Il n'y a pas de mais, dit fermement Olivia en lançant un regard furieux aux Bêtes par-dessus l'épaule de Toby. C'est une question de *sécurité*, poursuivit-elle avant de se retourner vers Toby. Je suis désolée, dit-elle aussi gentiment qu'elle le pouvait. Ces gars-là n'auraient pas dû t'inviter. Peut-être la prochaine fois, OK ?

Toby hocha la tête en signe de compréhension. Puis, il haussa les sourcils et dit, la voix pleine d'espoir :

— Je dois te dire que je suis un excellent danseur. J'ai suivi des cours pour les 16 ans de ma grande sœur.

Il lança un regard anxieux vers Olivia.

— C'est chouette, dit Olivia. Les garçons vont te raccompagner chez toi maintenant. On se revoit lundi, à l'école, Toby, ajouta-t-elle lentement en regardant chacune des Bêtes droit dans les yeux.

Personne ne bougea. Olivia avança vers les Bêtes en leur lançant le regard de la mort d'Ivy.

— Allons-nous-en, dit enfin l'un d'eux.

Ils se retournèrent et redescendirent la colline en traînant leurs pieds, Toby à leur suite.

Olivia referma la porte et sourit. Ivy avait bien raison ; ils étaient loin d'être aussi effrayants que leur odeur le laissait supposer !

Ivy scrutait anxieusement son reflet dans le miroir accroché à l'une des portes ouvertes de sa penderie. Elle ajusta sa robe sans bretelles en velours rouge vin et se tourna pour inspecter les minces rubans en satin qui s'entrecroisaient sur son dos nu. Ses cheveux foncés tombaient en bouclettes tout autour de son visage, et elle portait des boucles d'oreilles pendantes ornées de perles.

Elle était en train d'appliquer son rouge à lèvres Merlot de minuit lorsqu'elle entendit quelqu'un descendre les escaliers.

Elle entendit sa sœur chuchoter :

— Allô ? Ivy ?

Ivy ferma les portes de sa penderie et Olivia la fixa.

— De quoi j'ai l'air ? demanda Ivy d'une voix inquiète.

— Tu... tu es... *incroyable* !

Elle se rapprocha tout en l'observant davantage.

— Vraiment ? demanda nerveusement Ivy, en jetant un autre regard au miroir.

— Vraiment ! s'écria Olivia en tournoyant autour d'elle. Brendan va être époustouflé.

— Je l'espère, dit Ivy.

— J'en suis sûre, dit fermement Olivia.

Ivy ne put s'empêcher de sourire. Elle enfila une paire de longs gants de soirée noirs et se regarda une dernière fois dans le miroir.

«Je suis belle à mourir», décida-t-elle.

— Je ferais mieux de remettre mes vêtements et de m'en aller. Le bal t'attend, dit Olivia avec un grand sourire.

— Pas si vite, dit Ivy en se dirigeant, pieds nus, vers son lit recouvert de piles de vêtements, de papiers et d'oreillers.

Elle fouilla dans ce désordre, jetant des vêtements de part et d'autre de sa chambre, jusqu'à ce qu'elle en ressorte une boîte noire, entourée d'un ruban rose, qu'elle remit fièrement à sa sœur.

— Qu'est-ce que c'est? demanda Olivia en secouant la boîte.

— Un cadeau de remerciement, répondit Ivy.

Olivia dénoua le ruban.

— Pour quelle raison? demanda-t-elle.

— Pour les trois dernières semaines, lui répondit Ivy. Pour Brendan. Pour ce soir. Pour être ma sœur, dit-elle en haussant les épaules. Pour *tout*. Maintenant, ouvre-le.

Ivy observait le visage de sa sœur tandis qu'elle mettait sa main dans la boîte. Elle en ressortit un court t-shirt noir, sur lequel le mot «lapin» était imprimé en grosses lettres de couleur fuchsia, et à côté duquel se tenait un tout petit lapin fait avec des brillants. Olivia en eut le souffle coupé.

— Je *l'adore*! s'exclama-t-elle.

Elles entendirent la sonnette. Le cœur d'Ivy fit un bond quand elle regarda l'horloge à côté de son lit; elle devina que ce devait être Brendan qui arrivait plus tôt pour les photos.

Olivia lut dans ses pensées.

— Où sont tes souliers? dit-elle.

— Mes souliers? dit Ivy en souriant et en se dépêchant à lacer sa plus belle paire de bottes à talons hauts.

Olivia était cachée derrière l'armure qui se trouvait dans l'entrée. Avant de rentrer à la maison, elle tenait absolument à voir l'expression sur le visage de Brendan lorsqu'il arriverait et verrait Ivy dans sa robe de bal. Ivy lui avait dit qu'elle pourrait observer quelques minutes, à condition qu'elle reste hors de vue. En regardant à travers l'espace entre le plastron et le bras, Olivia pouvait apercevoir la porte d'entrée.

Elle regarda Ivy ouvrir la porte et vit Brendan entrer. Il portait une cape noire pleine longueur, une chemise blanche texturée et un nœud papillon blanc. Ses boucles noires brillaient.

— Ivy, tu es époustouflante ! déclara Brendan.

— Merci, répondit Ivy modestement.

Puis, il sortit une fleur de sous sa cape : une rose rouge si foncée qu'elle en était presque noire. Ivy la prit et sourit en regardant Brendan.

Tous deux se regardèrent rêveusement, les yeux dans les yeux ; le moment était si romantique qu'Olivia pensa qu'ils allaient s'embrasser, mais monsieur Vega apparut à ce moment précis.

— Tu dois être Brendan, dit-il en descendant l'escalier principal.

Il avait l'air impeccable dans son smoking de velours noir.

On entendit frapper à la porte et Sophia se précipita à l'intérieur. Elle était vêtue d'une magnifique robe noire et blanche qu'on aurait dite sortie tout droit d'un film d'Audrey Hepburn. Elle trimballait également un énorme sac contenant un appareil photo et un trépied.

— Désolée, je suis en retard, haletat-t-elle. Wow, vous êtes absolument magnifiques ! dit-elle en s'arrêtant brusquement et en observant Brendan et Ivy de la tête aux pieds.

Olivia regarda Sophia prendre des photos du superbe couple. Dans chacune des photos, Ivy fit une chose qu'Olivia aimait à croire qu'elle lui avait apprise : elle sourit. Et pas un sourire gothique à lèvres pincées, mais un vrai sourire éclatant de meneuse de claques !

Lorsqu'Ivy, Brendan, monsieur Vega et Sophia eurent quitté l'entrée, Olivia se faufila dans les escaliers pour atteindre la fenêtre du sous-sol. Elle avait besoin d'aller se reposer à la maison. Après tout, les épreuves de sélection de meneuses de claques allaient avoir lieu dans moins de 24 heures et Olivia devait être prête à tout — surtout si elle devait affronter Charlotte Brown.

CHAPITRE 13

Ivy et Brendan s'assirent, avec le reste du comité d'organisation, à la table qui se trouvait au centre de la salle de bal. Mélissa leva un verre de punch aux cerises et cria par-dessus le tumulte :

— À Ivy, qui nous a sérieusement surpris !

— Sans blague ! s'écria Sophia en lançant un regard complice à Ivy.

Elle leva son appareil et prit une photo.

Ivy se sentit presque rougir en levant son verre pour trinquer timidement avec les autres.

— J'ai eu beaucoup d'aide, dit-elle.

— Mademoiselle Vega, retentit la voix du vieux monsieur Coleman, l'un des chaperons de la soirée. C'est le meilleur bal de la Toussaint auquel j'ai assisté, et j'ai assisté à chacun des 202, dit-il en prenant la main d'Ivy et en y déposant un baiser. Vous êtes magnifique.

Ivy laissa son regard se promener tout autour de la salle de bal. Olivia avait vraiment fait un superbe travail : les gens s'émerveillaient devant les affiches d'anciens films qui tapissaient les murs et certains se promenaient de table en table afin que leurs amis les prennent en photo avec les pierres tombales des différentes célébrités. Tout le monde avait l'air sophistiqué et mystérieux, tout comme dans les anciens films de vampires.

Soudain, la salle devint silencieuse. Ivy vit l'une des Bêtes debout, au centre du plancher de danse, une main pâle levée au-dessus de sa tête pour faire taire la foule. Dans l'autre main, il tenait un microphone noir.

« Ah non, pensa Ivy. Mais qu'est-ce qu'ils mijotent ? »

— Bonsoirrrrrrrrrrrr, dit le garçon en faisant la pire imitation de vampire qu'Ivy ait jamais entendue. Je voudrais tous vous inviter surrr le plancher de danse pour la prrremière danse.

Ivy ne put s'empêcher de rire. La Bête était le D.J. !

Brendan se leva.

— Viens, dit-il en prenant la main d'Ivy. C'est la première danse.

Ivy secoua la tête.

— Nous ne dansons pas, tu te souviens ?

Les yeux de Brendan brillèrent et il se pencha vers elle.

— C'est pourquoi ils appellent ça la *première* danse, Ivy, dit-il.

Alors que Brendan la conduisait vers le plancher de danse, sa cape flottant autour de lui, Ivy sentit que tous les regards étaient braqués sur elle. Elle vit des gens l'examiner admirativement de la tête aux pieds et, aux abords de la piste de danse, elle aperçut même son père, rayonnant de bonheur.

Brendan s'arrêta au beau milieu de la piste. Ivy déposa sa tête sur son épaule et la chanson commença. Elle ferma les yeux. « J'espère que ce n'est pas un rêve », se dit-elle, le souffle coupé.

Ivy se réveilla le lendemain matin et ouvrit son cercueil ; elle n'avait pas rêvé. Brendan et elle avaient dansé pendant toute la durée du bal. Ensuite, ils étaient restés debout jusqu'à 1 h du matin à parler sur la galerie.

Elle avait tellement hâte d'appeler Olivia et de tout lui raconter. Après tout, rien de tout cela ne serait arrivé sans elle.

«Une minute, se dit Ivy en regardant l'horloge. Olivia passe les épreuves de sélection ce matin!»

Ivy eut soudainement une idée géniale. Elle bondit hors de son lit et ouvrit l'une des portes de son armoire; elle allait faire une surprise à sa sœur en allant l'encourager dans les estrades!

Une demi-heure plus tard, Ivy se trouvait dans le hall d'entrée de l'école secondaire Franklin Grove, vêtue de l'ensemble le plus rose et le plus partisan qu'elle avait pu improviser : un chandail molletonné gris à l'effigie des Diables et une casquette des Diables, bien enfoncée sur sa tête.

Elle passa devant son reflet dans le présentoir vitré du hall d'entrée. Elle ressemblait presque à une meneuse de claques vêtue de la sorte.

Au même moment, une voix perçante appela :

— Olivia!

Ivy leva les yeux et vit Charlotte Brown qui se précipitait vers elle, vêtue de son uniforme de meneuse de claques.

— Je t'ai cherchée partout, Olivia! se plaignit Charlotte.

Ivy faillit la corriger, mais se ravisa et enfonça encore davantage sa casquette afin de cacher ses yeux.

— Mademoiselle Barnett m'a demandé de te dire que les épreuves de sélection ont été déplacées au terrain de football, cria Charlotte. Je crois que l'équipe d'échecs utilise le gymnase ou quelque chose du genre!

— Ah oui? répondit Ivy avec enthousiasme.

— Tu ferais mieux de t'y rendre! lui dit Charlotte d'un ton arrogant. Mademoiselle Barnett n'aimera pas ça si tu es en retard! Et, sur ces mots, elle passa rapidement son chemin.

« Oh mon Dieu! Il faut que je trouve Olivia tout de suite, se dit Ivy, sinon elle va manquer les épreuves de sélection! »

Elle saisit son cellulaire à toute vitesse et composa le numéro d'Olivia, mais elle ne répondit pas. Elle jeta un coup d'œil à l'horloge sur le mur : 11 h 21. Cela signifiait qu'Ivy ne disposait que de neuf minutes pour retrouver sa sœur.

Elle courut au vestiaire des filles. Les seules personnes à l'intérieur étaient Katie et Allison, déjà vêtues de leur costume de meneuses de claques.

— Salut Olivia ! dirent-elles à l'unisson.

Ivy se retourna sans même leur répondre et courut à l'autre bout de l'école pour inspecter le casier d'Olivia. Rien. Puis, elle courut jusqu'aux toilettes du pavillon des sciences. Toujours rien. La situation commençait à s'aggraver. Ivy tenta d'appeler Olivia une fois de plus sur son cellulaire. Lorsqu'elle vit que cela ne donnait aucun résultat, elle décida d'appeler chez elle.

— Allô ? dit le père d'Olivia.

— Bonjour, monsieur Abbott, c'est Ivy, l'amie d'Olivia, expliqua-t-elle.

— Eh bien, bonjour Ivy. Que puis-je faire pour toi ?

— Est-ce qu'Olivia est là ? haleta Ivy.

— Désolé, mais non, répondit-il. Les épreuves de sélection pour l'équipe de meneuses de claques devraient commencer d'un moment à l'autre.

— C'est vrai, dit Ivy d'un ton gêné. Merci.

Elle raccrocha et s'affaissa contre le comptoir des toilettes.

Sa sœur était introuvable. Ivy jeta un coup d'œil à l'écran de son cellulaire : 11 h 25. Il ne lui restait que cinq minutes.

« Ça ne se peut pas, se dit Ivy en secouant la tête, pas après tout ce qu'Olivia et moi avons fait. »

Elle retira sa casquette et se regarda dans le miroir. Il y avait, dans son casier, une bombe aérosol d'autobronzant qu'Olivia avait oubliée dans le sac d'Ivy après leur premier échange. Ivy se dit qu'elle pourrait sans doute arriver à se faire une queue de cheval et à se rendre au terrain avant qu'il ne soit trop tard.

« Mais si jamais quelqu'un se rendait compte qu'il y avait deux Olivia en train de se promener dans l'école ? se dit Ivy. C'est un risque que je dois prendre », décida-t-elle.

Elle courut à son casier, saisit la bombe d'autobronzant, et fila jusqu'aux toilettes. Elle appliqua rapidement le produit et se fit une queue de cheval, puis elle se rendit compte qu'elle n'avait pas de pompons.

« Mademoiselle Barnett va devenir dingue ! » se dit Ivy.

Elle ouvrit la porte de l'un des cabinets et vit deux rouleaux de papier de toilette.

« Ce ne sont pas les meilleurs pompons du monde, songea-t-elle, et je ne m'en sortirai probablement pas, mais c'est le mieux que je puisse faire. »

C'est donc avec un rouleau de papier de toilette dans chaque main qu'Ivy se précipita sur le terrain de football. Les seules personnes qui s'y trouvaient, toutefois, étaient deux sportifs qui se lançaient un ballon ; il n'y avait aucune meneuse de claques en vue.

Ivy, perplexe, regarda tout autour d'elle.

— Excusez-moi, dit-elle. Savez-vous si les épreuves de sélection de meneuses de claques sont censées avoir lieu ici ?

— Dans le gymnase, grogna l'un des garçons en jetant un regard perplexe à Ivy et à ses pompons en papier de toilette.

Ivy comprit alors ce qui s'était passé : Charlotte avait menti en espérant qu'Olivia se présente au mauvais endroit et qu'elle rate ainsi les épreuves de sélection.

« Quel monstre ! » se dit Ivy.

Elle lança rapidement un rouleau de papier de toilette à chacun des garçons et courut en direction du gymnase en songeant qu'elle avait vraiment eu de la chance de ne pas réussir à joindre Olivia sur son cellulaire. Tandis qu'elle courait, elle fredonnait entre ses dents «On va vous écraser… vous allez en pleurer… si vous sonnez ma sœur… vous serez foudroyés!»

Ivy se plaça devant les portes du gymnase et jeta un coup d'œil par la fenêtre. Sans surprise, elle vit Olivia qui se donnait à fond, au centre de la formation. Charlotte Brown exécutait la routine à côté d'elle; l'expression frustrée de son regard trahissait le faux sourire sur son visage.

Olivia ouvrit en toute hâte les portes du Bœuf et bonjour et se précipita à l'arrière du restaurant, où tout le monde l'attendait, assis à la table habituelle d'Ivy. Brendan faisait face à Camilla et à Sophia, et son bras reposait sur l'épaule d'Ivy.

Olivia ne pouvait plus se contenir.

— J'ai été sélectionnée pour l'équipe! cria-t-elle même avant d'avoir atteint leur table.

Tout le monde dans le restaurant se retourna pour la regarder.

«Oups», pensa Olivia.

Ses amis s'esclaffèrent.

— J'ai été sélectionnée pour l'équipe ! répéta-t-elle en chuchotant de façon exagérée.

— Félicitations, l'acclama Ivy.

Camilla et Sophia l'applaudirent.

— Ivy m'a dit que tu as été mortelle aux épreuves de sélection, lui dit Brendan.

Sophia leva la main, les doigts croisés.

— Est-ce qu'on peut t'appeler capitaine ?

— Pas cette année, avoua Olivia. C'est Charlotte la capitaine, mais c'est normal, car c'est la plus ancienne de l'équipe.

— Et c'est la meilleure pour dire aux autres quoi faire, ajouta Ivy.

— Exactement, dit Olivia en souriant. De toute façon, ça veut simplement dire que je pourrai passer plus de temps avec mes amis !

Olivia regarda Camilla, Sophia, Ivy et Brendan ; elle se sentait vraiment heureuse.

La serveuse apparut.

— Burger de tofu et salade ? demanda-t-elle

— Évidemment ! répondit Olivia en souriant.

Puis, elle déclara à la table :

— Je reviens dans une minute. Je dois aller me changer.

Après tout, elle portait encore son uniforme de meneuse de claques, et elle mourait d'envie d'être seule avec Ivy. Elle lança un clin d'œil complice à sa sœur.

Dès qu'Ivy eut franchi le seuil des toilettes, Olivia lui demanda :

— Et puis ? Comment ça s'est passé hier soir ?

Ivy la mit au parfum de la situation pendant qu'elle retirait son costume de meneuse de claques pour enfiler son nouveau t-shirt préféré. Lorsqu'Ivy lui raconta sa première danse avec Brendan, Olivia en eut presque le souffle coupé.

— C'est la meilleure fin de semaine de ma vie ! termina Ivy.

— Je ressens la même chose ! approuva Olivia.

— Je crois que nos parents biologiques seraient vraiment fiers de nous, dit Ivy.

« Si seulement nous les connaissions », pensa Olivia avec un brin de nostalgie.

— Faisons un pacte, suggéra Ivy.

— Un pacte de vampire ? demanda Olivia.

— Non, répondit Ivy en levant les yeux au ciel. Un pacte entre nous. Un pacte entre sœurs.

Olivia comprit. Les claques, le rendez-vous, le bal — tout cela avait été bien amusant, mais il y avait quelque chose de plus important encore.

Ivy retira sa chaîne et joignit la bague en émeraude qu'Olivia portait à la sienne.

— Nous faisons le serment d'être toujours là l'une pour l'autre, dit-elle.

— Nuit et jour, ajouta Olivia solennellement.

— Dans la pénombre comme dans la lumière, continua Ivy. Nous faisons le serment de rester…

— Ensemble, termina Olivia à sa place.

Elle s'étira pour étreindre sa sœur jumelle et, lorsqu'Ivy la serra à son tour, elle sut qu'elles avaient toutes les deux les yeux remplis de larmes.

Ne manquez pas la prochaine aventure
d'Ivy et d'Olivia dans

Ma soeur est une
vampire
tome 2 : In-croc-yable!

Ivy Vega se traîna les pieds jusqu'à la salle à manger, se glissa dans sa chaise et laissa reposer sa joue contre la pierre fraîche de la table. Elle aurait aimé être encore dans son cercueil; les lundis matin étaient vraiment les pires.

— Bon matin, ma belle endormie, dit son père en plaçant un bol près de sa tête.

— Shhh, murmura Ivy, les yeux toujours fermés, je dors encore.

— Ce sont tes préférées, dit-il d'un ton mielleux. Les plaquettes de guimauves.

Ivy jeta un coup d'œil aux petites guimauves blanches et aux céréales marron qui flottaient dans une mer de lait.

— Merci, murmura-t-elle.

Son père, déjà prêt pour aller travailler, était vêtu d'un pantalon noir et d'une chemise rayée, noire également, à manchettes françaises. Il sirota son thé et prit la télécommande.

— Il n'y rien de mieux pour les jeunes cerveaux engourdis, dit-il, qu'un peu de télévision matinale.

Il passa outre la chaîne météo et quelques émissions de variété avant de s'arrêter sur *La Star du matin*.

— Pas ça, s'il te plaît, le supplia Ivy. Le simple fait de regarder le sourire de Serena Star me donne des coups de soleil.

Serena Star, la meilleure intervieweuse de célébrités de la chaîne WowTélé, avait des cheveux blonds peroxydés et des yeux qu'on aurait dits chirurgicalement programmés pour demeurer grands ouverts en tout temps, figés dans une expression d'adoration ou de choc. Dernièrement, elle avait décidé de se faire passer pour une journaliste sérieuse en lançant sa propre émission matinale de nouvelles, *La Star du matin*. L'autre jour, Ivy, exaspérée, avait éteint la télévision après que Serena ait déclaré : «Dites-moi, Monsieur le sénateur, qu'est-ce que ça fait d'avoir une loi nommée en son honneur ?»

Ce matin, Serena Star faisait dos à un petit groupe de personnes et parlait dans son microphone. Elle portait une minuscule minijupe en suède bleu et un imperméable qui lui descendait jusqu'aux genoux ; ses grands yeux affichaient une expression choquée. Elle était soit dans un parc, soit dans un cimetière. Un adolescent débraillé vêtu de noir était debout à ses côtés.

Le père d'Ivy changea de chaîne.

— Non, recule, lança Ivy.

— Mais tu as dit…

— Je sais, mais recule ! répéta-t-elle.

Ivy n'en croyait pas ses yeux : le garçon à côté de Serena Star n'était nul autre que Garrick Stephens, l'un des vampires les plus nuls de son école. Lui et ses crétins d'amis — tout le monde les appelait les Bêtes — étaient toujours en train de faire des trucs stupides, comme déterminer lequel d'entre eux pouvait manger le plus de croûtons à l'ail avant de tomber sérieusement malade. Ils n'étaient pas aussi effrayants que leur odeur le laissait présager, mais ils étaient embêtants au plus haut point, et ce, depuis toujours.

Serena Star regarda droit dans la caméra.

— Je suis Serena Star et je vous présente aujourd'hui une interview exclusive avec un garçon de 13 ans qui a failli être enterré vivant. Je crois que vous serez d'accord avec moi pour dire que cette histoire est véritablement... incorpsiable !

Un graphique affichant le mot « Incorpsiable ! » apparut au-dessus de la tête de Garrick, et Ivy leva les yeux au ciel. Serena inventait toujours des mots stupides pour ses gros titres à l'écran.

— Génial ! dit Garrick Stephens en souriant.

Ivy commença à avoir mal à la tête.

« Comment diable allons-nous camoufler un vampire qui sort d'un cercueil au beau milieu d'une cérémonie funéraire ? » se dit-elle.